Français • 2e cycle du primaire

Ardoise

Danielle Lefebvre
Directrice de collection

Nathalie Chevalier • Fannie Lupien

Manuel B

CEC
LES ÉDITIONS CEC INC.

8101, boul. Métropolitain Est, Anjou, Qc, Canada H1J 1J9
Téléphone: (514) 351-6010 Télécopieur: (514) 351-3534

Directrice de l'édition
Carole Lortie

Directrice de la production
Danielle Latendresse

Directrice de la coordination
Isabel Rusin

Chargée de projet et réviseure
Monique Boucher

Correctrice d'épreuves
Jacinthe Caron

Conception graphique et réalisation technique
Matteau Parent graphisme et communication inc.
• Mélanie Chalifour

Recherche de textes
Nadine Fortier

Conception des activités *Double clic*
Marie-France Laberge

Consultation
Dominique Cardin, conseillère pédagogique
au primaire, commission scolaire des Affluents
Yolande Legault, enseignante au 2e cycle, école
Lajoie, commission scolaire Marguerite-Bourgeoys

Dans cet ouvrage, la féminisation des titres de fonctions et des textes est conforme aux règles d'écriture proposées par l'Office de la langue française dans le guide *Au Féminin,* produit par Les publications du Québec, 1991.

Les Éditions CEC inc. remercient le gouvernement du Québec de l'aide financière accordée à l'édition de cet ouvrage par l'entremise du Programme de crédit d'impôt pour l'édition de livres, administré par la SODEC.

© 2001, Les Éditions CEC inc.
8101, boul. Métropolitain Est
Anjou (Québec) H1J 1J9

Dépôt légal: 4e trimestre 2001
Bibliothèque nationale du Québec
Bibliothèque nationale du Canada

ISBN 2-7617-1804-6

Imprimé au Canada
2   3   4   5   05   04   03

Signification des symboles

 : document reproductible

 : travail à faire en coopération

 : tâche pouvant être accomplie à l'ordinateur

 : carnet de lecture, dans lequel on consigne ses impressions après la lecture de textes littéraires

 : activité d'enrichissement

 : atelier, où l'on propose des exercices pour renforcer les nouvelles connaissances

 : portfolio, dans lequel on peut ranger les documents considérés comme importants

Degré de difficulté des textes

 : texte facile   : texte un peu plus difficile   : texte plus difficile

Table des matières

Unité 4
Poètes, au travail!

Le rallye de la poésie	4
Titres recherchés	6
Clés en main	10
À vos plumes – À la manière d'Henriette Major	12
Clés en main – La phrase déclarative et la phrase interrogative	14
Une bien curieuse factrice!	16
À vos plumes – Une nouvelle lettre à Marilyn	19
Clés en main	21
Des métiers d'hier, d'aujourd'hui et de demain	23
La culture, c'est comme les confitures...	29
Clés en main – La phrase exclamative	33
Je lis, tu lis, nous lisons...	35
Projet – Une semaine du français tout en poésie	41
Clés en main	43
Poèmes et jeux de mots	45
Double clic	49

Unité 5
Coup de pouce à l'environnement

Je protège mon environnement	52
Au temps de tes arrière-grands-parents	54
Clés en main – Le pluriel des noms et des adjectifs	57
La fibre du recyclage	59
Clés en main – La famille de mots	61
La fête est à l'eau	63
Clés en main – L'accord du verbe: le groupe du nom sujet	66
De la bouteille en plastique au chandail polaire	68
À vos plumes – Deviens journaliste...	71
Clés en main – Le futur proche	75
La culture, c'est comme les confitures...	77
Je lis, tu lis, nous lisons...	81
Clés en main	88

Situation-problème – Le musée amusant 90
Gaya et le Petit Désert 92
Clés en main – La phrase négative 95
Double clic 97

Unité 6
Les livres, des amis pour la vie

En toute amitié 100
À chaque livre sa couverture 102
Le démon du mardi 103
Projet – Des romans à faire connaître 106
Clés en main 108
Sentiments 109
Clés en main – La virgule dans les énumérations 112
Rouge Timide 114
À vos plumes – Un dialogue... entre amis 117
Clés en main – L'emploi de la lettre *g* 119
La culture, c'est comme les confitures... 121
Je lis, tu lis, nous lisons... 125
Bricolage – Mon signet 135
Clés en main 136
Le plus beau prénom du monde 139
Auteurs et auteures de romans, qui êtes-vous ? 142
À vos plumes – Souvenirs de lecture 145
Double clic 147

Mes verbes conjugués 148
Mes mots 151
Mes stratégies de lecture 155
Index des notions grammaticales 157

Les rubriques

À vos plumes

Situation d'écriture

Clés en main

Activités de grammaire, de vocabulaire, d'orthographe, de syntaxe et de ponctuation

Double clic

Activités à l'ordinateur

Projet

Tâche complexe dans laquelle on te propose de réaliser un projet

Situation-problème

Tâche complexe dans laquelle on te propose de résoudre un problème

La culture, c'est comme les confitures...

Petit dossier culturel

Fritz von Uhde (1848-1911),
The Picture Book

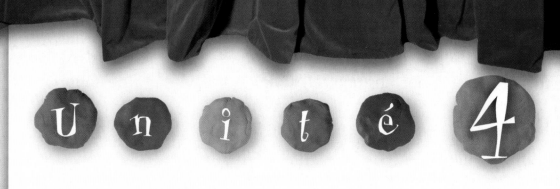

Unité 4

Poètes, au travail !

Dans cette unité, tu découvriras différentes façons d'écouter, de lire et d'écrire des textes poétiques. Tu apprendras à jouer avec les mots pour créer des images ou évoquer des émotions, des idées et des sentiments.

De plus, en lisant ces poèmes et d'autres textes, tu exploreras différents métiers. Tu pourras ainsi faire des liens entre ces métiers et tes talents, tes passions et tes préférences.

En plus de tout cela, tu réaliseras un projet intéressant en lien avec la poésie. Vas-y ! Deviens poète pour quelques semaines...

« [...] L'horloger   Le magicien
Remonte la pendule   Remonte le temps
L'entraîneur   Quant au poète lui...
Remonte le moral   Il essaie de remonter les cœurs. »

(Claude Haller, «Remontoir», dans **Jouer avec les poètes**.
© Hachette Livre, coll. Le Livre de Poche Jeunesse)

Des poèmes, il y en a des milliers et sur une multitude de sujets. Dans cette activité, tu vas devoir feuilleter des recueils de poèmes pour en choisir quatre à partir de consignes précises. Pour te mettre dans l'ambiance, voici les poèmes coups de cœur de personnes exerçant différents métiers. Essaie de retenir quelques vers qui te séduisent particulièrement.

Un vers, c'est une ligne dan un poème.

Le rallye de la poésie

Coup de cœur de
Nancy Morris, avocate
(et poète à ses heures)

La chenille

Le travail mène à la richesse
Pauvres poètes, travaillons!
La chenille en peinant sans cesse
Devient le riche papillon.

Guillaume Apollinaire

Guillaume Apollinaire
(1880-1918)

Félix Leclerc
(1914-1988)

Coup de cœur de Jean
Laberge, artisan-menuisier

«J'aime bien ma vie de nuage, dit le nuage. Elle est variée. Je charrie le tonnerre, je me fais abat-jour ou dentelle ou monstre ou coussin ou écran ou brume.

Descendre sur Terre mouiller les barques et les fleurs m'amuse beaucoup. Mais ce que j'aime le plus, c'est me faire filet au-dessous des étoiles pour les petits princes qui tomberaient...»

Source: Félix Leclerc, *Chansons pour tes yeux*. © Fides, 1980.
Reproduit avec l'autorisation de Copibec.

Coup de cœur de Maxime Mongeon, écrivain

Jacques Prévert
(1900-1977)

Déjeuner du matin

Il a mis le café
Dans la tasse
Il a mis le lait
Dans la tasse de café
Il a mis le sucre
Dans le café au lait
Avec la petite cuiller
Il a tourné
Il a bu le café au lait
Et il a reposé la tasse
Sans me parler
Il a allumé
Une cigarette
Il a fait des ronds
Avec la fumée
Il a mis les cendres

Dans le cendrier
Sans me parler
Sans me regarder
Il s'est levé
Il a mis
Son chapeau sur sa tête
Il a mis
Son manteau de pluie
Parce qu'il pleuvait
Et il est parti
Sous la pluie
Sans une parole
Sans me regarder
Et moi j'ai pris
Ma tête dans ma main
Et j'ai pleuré.

Source : Jacques Prévert, *Paroles*. © Éditions Gallimard.

Place-toi maintenant en équipe avec trois autres élèves. Participez au rallye de la poésie en suivant la démarche proposée sur les feuilles qu'on vous remettra.

À la fin de cette activité, laisse des traces du poème que tu as préféré dans ton carnet de lecture.

La poésie est une façon de voir autrement le monde qui nous entoure. Voici quatre poèmes sur un même thème. Lis-les attentivement et observe comment chaque poète a utilisé les mots pour créer des images.

Titres recherchés

A

J'ai attrapé des mots.
Je les ai mis en cage
comme des oiseaux.
Ils chantent quand il fait soleil
ou quand on siffle aux alentours,
mais bientôt,
ces mots ne me disent plus rien
et je pars à la chasse
aux mots nouveaux ou interdits.
On les prend au filet
comme des papillons.
Tant qu'ils folâtrent,
tant qu'ils volent,
ils sont beaux et brillants.
Ils se fanent quand on les attrape
et battent des ailes piteusement,
mais ils ressuscitent
quand on les enferme
dans un poème.

Source : Henriette Major, *Avec des yeux d'enfant*, p. 82.
L'Hexagone/VLB éditeur, 2000. © Henriette Major.

Les Mots tarabiscotés,
Les biscottes, les tarots,
Les encaparaçonnés,
Les motifs et les motos,

Les mots qui volent au vent,
Le veau et l'engoulevent,
Le vent et l'engouleveau,
Les goulus et les bouleaux,

Les mots dorment, les mots bâillent.
Le Mot caravance et raille,
Les mots riment et rimaillent
Ou railleurs les mots déraillent.

Les mots chouettes les mots moches,
Le mot maux, l'aristoloche,
Pipistrelles de nos soirs,
Les mots chantent dans le noir:

Continue un peu... pour voir!

Source: Georges Jean, *Écrit sur la page.* © Gallimard Jeunesse, 1992.

C
La langue de ma mère
a des mots pour tout

dans la grande famille des mots
je m'en choisis pour passer l'hiver
des mots en laine du pays
cette année j'ai choisi le mot guérison
le mot liberté
des mots qui tiennent bien au chaud.

Source: Gérald Godin, *Ils ne demandaient qu'à brûler*, Éditions
de L'Hexagone, 2001, p. 502. © 2001 Éditions de L'Hexagone
et succession Gérald Godin.

D
Ce que veulent dire les mots,
On ne le sait pas quand
ils viennent;
Il faut qu'ils se parlent, se trouvent,
Qu'ils se découvrent,
qu'ils s'apprennent.
Ce que veulent dire les mots,
Ils ne le savent pas eux-mêmes,
Mais les voilà qui se regroupent,
Qui s'interpellent, se répondent,
Et si l'on sait tendre l'oreille,
On entend parler le poème.

Source: © Jacques Charpentreau,
Ce que les mots veulent dire, 1986.

8

Tu as maintenant sûrement plein d'images dans la tête. Prends quelques instants pour apprécier ces images et les associer aux émotions que tu as ressenties. Place-toi ensuite en équipe avec deux autres élèves pour explorer ces poèmes.

Un titre pour chaque poème

1. a) Relisez attentivement les poèmes et associez à chacun un des titres suivants :

Le plaisir des mots	La chasse aux mots	Ses mots	À l'écoute

Pour vous aider, observez attentivement les mots des poèmes et cherchez-y des indices.

b) Tous ces poèmes traitent d'un même sujet. Lequel, selon vous ?

Lecture expressive d'un poème

2. Parmi les poèmes précédents, choisissez celui dont vous ferez une lecture expressive. Faites part de votre choix à votre enseignante ou enseignant. Sur la feuille qu'on vous remettra :

- indiquez près du titre quelle expression du visage conviendrait au texte que vous avez choisi ;

- séparez le texte en parties à lire en marquant les endroits où vous changerez de lecteur ou de lectrice ;

- soulignez les mots sur lesquels vous voulez faire varier l'intensité de votre voix ;

- notez les endroits où vous ferez des pauses.

Exercez-vous à faire la lecture expressive de votre poème. Puis, présentez-le aux autres élèves de la classe.

3. Prenez quelques minutes pour laisser des traces de votre poème préféré dans votre carnet de lecture.

Clés en main

Mes mots

Noms	Pronoms	Adjectifs	Verbes	Mots invariables
un chanteur	je	bleu	chasser	car
une chanteuse	tu	bleue	écouter	mais
la chasse	il	mauve	écrire	qu'est-ce que
un chasseur	elle	moqueur	poster	vers
une chasseuse	nous	moqueuse	visiter	
un/une dentiste	vous	rose		
février	ils			
ce joueur	elles			
cette joueuse	moi			
une lettre	toi			
mon métier				
un/une ministre				
un mois				
du papier				
la poste				
le toit				
un vers				
la visite				
ce visiteur				
cette visiteuse				

Mes verbes conjugués

AVOIR			ÊTRE		
FUTUR SIMPLE			FUTUR SIMPLE		
Personne	Radical	Terminaison	Personne	Radical	Terminaison
j'	au	rai	je	se	rai
tu	au	ras	tu	se	ras
il/elle	au	ra	il/elle	se	ra
nous	au	rons	nous	se	rons
vous	au	rez	vous	se	rez
ils/elles	au	ront	ils/elles	se	ront

> Le futur simple
> exprime un fait
> ou une action qui aura
> lieu plus tard.

1. a) Dans le tableau *Mes mots*, observe
les noms et l'adjectif qui se
terminent en -*eur* au masculin.
Comment ces mots
forment-ils leur féminin?

b) Trouve d'autres noms ou
adjectifs qui se terminent
en -*eur* au masculin et qui
forment leur féminin
de cette même façon.

2. À l'aide du tableau *Mes mots* et des mots que tu as appris, complète les lignes a), b) et c) en suivant le modèle donné.

	visite	visiteur	visiteuse	visiter
a)	chant	▬▬▬	▬▬▬	▬▬▬
b)	chasse	▬▬▬	▬▬▬	▬▬▬
c)	jouet	▬▬▬	▬▬▬	▬▬▬

3. Observe la paire de mots suivante : toi   toit

a) Qu'est-ce que cette paire de mots a de particulier ?

b) Compare ta réponse avec la définition donnée ci-contre. Que remarques-tu ?

c) Compose une phrase avec le nom *toit*.

> Des homophones, ce sont des mots qui se prononcent de la même façon, qui s'écrivent différemment et qui ont un sens différent. Par exemple : sans, cent et sang ; mère, maire et mer ; houx, août, où et ou.

d) Compose une phrase avec le pronom *toi*.

4. Compose un poème amusant en utilisant des homophones de ton choix. Tu peux t'inspirer du poème suivant.

Il était une fois

Il était une **fois**
Une marchande de **foie**
Qui vendait du **foie**
Dans la ville de **Foix**.
Elle se dit : Ma **foi**
C'est la dernière **fois**
Que je vends du **foie**
Dans la ville de **Foix**.

À vos plumes

À la manière d'Henriette Major

Être poète, c'est savoir trouver les mots pour faire rire, pour faire rêver, pour faire voir autrement tout ce qui nous entoure.

Lis attentivement le poème suivant. Vois comment l'auteure a su faire naître les images.

Les petits bonheurs

Les bonheurs, ils sont partout :
dans le verglas en dentelle,
dans un air de violoncelle,
dans les formes des cailloux.

Le bonheur, c'est presque rien :
la caresse de la brise,
le goût d'une friandise,
le tremblement d'un refrain.

Le bonheur, c'est presque tout :
les maisons dans les nuages,
les dessins des coquillages,
les chatouilles et les bisous.

Henriette Major

Pour écrire son poème, l'auteure a tenté de trouver tout ce qui, pour elle, évoquait le bonheur. Elle a associé le bonheur à des choses qui peuvent être vues, entendues, goûtées...

1. Quelles images te sont venues en tête en lisant ce poème ?

2. Dans quels vers la poète associe-t-elle le bonheur à ce qui peut être goûté ? à ce qui peut être entendu ? à ce qui peut être vu ?

C'est maintenant à ton tour
de devenir poète en pastichant
le poème «Les petits
bonheurs». Pour t'aider dans
ce travail, suis la démarche
qu'on te propose.

Pasticher, c'est
imiter le style ou la
manière.

Je planifie

- Pense d'abord à un projet que tu aimerais réaliser.
  Sur la feuille qu'on te remettra, réponds à la question n° 1.
- Puis, ferme les yeux et fais des liens entre ce projet et tes
  différents sens. Qu'est-ce que tu vois? Qu'est-ce que tu entends?
  Qu'est-ce que tu sens?... Note tes images sur ta feuille
  au numéro 2.

- Place-toi ensuite en équipe avec un ou une autre élève. À tour de
  rôle, présentez vos idées. Discutez de ces idées. Faites-vous des
  suggestions. Enrichissez votre plan.

Je rédige

Tu as plein d'images dans la tête. Inspire-toi de ces images et des
idées que tu as notées précédemment pour compléter,
individuellement, la structure du poème «À la manière d'Henriette
Major» sur la feuille qu'on te remettra. N'oublie pas: tu dois créer
des images.

Je révise et je corrige

Relis maintenant ton poème. Vérifie si chaque vers fait naître
une image, si chaque vers pourrait être illustré. Vérifie ensuite la
ponctuation et l'orthographe des mots. Fais les accords dans le
groupe du nom. Trouve un titre original à ton poème.

Je mets au propre et je présente

Mets ton texte au propre et illustre-le. Présente-le à ton coéquipier
ou à ta coéquipière.

Clés en main

La phrase déclarative et la phrase interrogative

1. Placez-vous en équipe de deux et lisez le poème suivant.
Observez la ponctuation.

Le pays des rêves

1 Où vont donc les rêves
2 quand la nuit s'achève?
3 Existe-t-il un pays bleu
4 où flottent les rêves heureux?
5 Existe-t-il un gouffre noir
6 pour les vilains cauchemars?
7 se demande Alexandra.
8 Je veux voir ces pays-là
9 pour retrouver ces images
10 folles, drôles ou sages,
11 qui se sont envolées
12 lorsque le jour s'est levé.

Henriette Major

Selon vous, comment appelle-t-on le signe de ponctuation
qui indique la fin des vers 2, 4 et 6?

2. a) Selon vous, comment appelle-t-on des phrases comme celles-ci:
– *Où vont donc les rêves quand la nuit s'achève?*
– *Existe-t-il un pays bleu où flottent les rêves heureux?*

b) À quoi servent ces phrases?

c) Comparez vos réponses à la définition donnée au bas de la page
suivante. Que remarquez-vous?

3. a) Selon vous, comment appelle-t-on une phrase comme celle-ci?
*Je veux voir ces pays-là pour retrouver ces images folles, drôles ou
sages, qui se sont envolées lorsque le jour s'est levé.*

b) À quoi sert cette phrase?

c) Comparez vos réponses à la définition donnée au bas de la page. Que remarquez-vous?

4. Comparez les couples de phrases suivants:

Phrases déclaratives	Phrases interrogatives
Il a mis le café dans la tasse. ►	Est-ce qu'il a mis le café dans la tasse?
Les petits bonheurs sont partout. ►	Les petits bonheurs sont-ils partout?

Quels moyens sont employés pour transformer les phrases déclaratives en phrases interrogatives?

5. Repérez le **mot interrogatif** dans chacune des phrases suivantes.

a) Où vont les rêves quand la nuit s'achève?

b) Qui a rêvé cette nuit?

c) Quel rêve avez-vous fait?

Le mot interrogatif est un mot qu'on ajoute pour poser une question. Les principaux mots interrogatifs sont: quel, qui, que, quoi, lequel, combien, comment, où, pourquoi et quand.

Je comprends

La phrase déclarative et la phrase interrogative
La phrase déclarative sert à affirmer quelque chose. C'est la phrase qu'on lit et qu'on écrit le plus souvent. Cette phrase sert de base à la construction des autres types de phrases.
Ex.: Vous aimez la poésie.
La phrase interrogative sert à poser une question. À l'écrit, elle se termine par un point d'interrogation (?). Elle est construite à partir d'une phrase déclarative. Voici différentes façons de construire une phrase interrogative:
• **Est-ce que** vous aimez la poésie?
• Vos parents aiment-**ils** la poésie?
• **Pourquoi** aimez-**vous** la poésie?
• Aimez-**vous** la poésie?
• **Qui** aime la poésie?
• **Quand** lisez-**vous** des poèmes?

Lis d'abord le titre de cette histoire. Selon toi, de quoi sera-t-il question ? Puis, lis le texte pour vérifier ta prédiction. Tu pourras ensuite discuter de tes découvertes avec d'autres élèves.

Une bien curieuse factrice !

Mademoiselle Charlotte vient de se faire congédier. Elle part donc pour Saint-Machinchouin pour trouver un nouvel emploi. Elle y fera la connaissance de Léonie.

Quelqu'un chantait à tue-tête dans la rue. Et ce quelqu'un chantait extrêmement fort et extrêmement faux.

Léonie courut à la fenêtre. Elle fut alors le témoin d'un spectacle hallucinant. Une vraie scène de cinéma !

Une espèce de grande asperge en robe bleue avec un chapeau d'Halloween sur la tête avançait dans la rue à pas énergiques en s'égosillant. Comme elle se rapprochait de monsieur Laposte, le facteur, celui-ci, alerté par le vacarme, se retourna... exactement au pire moment.

– Attention aux billes ! lui cria Léonie.

Malheureusement, monsieur Laposte ne pouvait pas l'entendre. Il posa donc un pied, puis l'autre, sur les douze billes que Julien Leclerc, le petit monstre de voisin, avait laissées traîner sur le pavé. Les jambes du facteur se mirent à pédaler à toute vitesse puis elles s'écartèrent dangereusement. Quelques secondes plus tard, le pauvre homme était étendu dans la rue et il ne bougeait plus.

– Je suis une vraie factrice! répétait joyeusement mademoiselle Charlotte en tapotant sa grosse sacoche remplie d'enveloppes.

Deux heures après l'accident, elle était encore étourdie par la série d'événements. Heureusement que Léonie avait été là. C'est elle qui avait composé le 9-1-1. C'est elle aussi qui avait suggéré à mademoiselle Charlotte d'offrir ses services au bureau d'emploi. Le pauvre monsieur Laposte avait une jambe dans le plâtre.

Comme bien d'autres citoyens de Saint-Machinchouin, madame Lamarmaille fut un peu surprise lorsque la nouvelle factrice sonna à sa porte. Tous les facteurs qu'elle avait connus se contentaient de déposer le courrier dans la boîte aux lettres.

Au moment où madame Lamarmaille ouvrit la porte, sa fille Célestine poussa un hurlement atroce parce que Frédéric avait barbouillé son dessin. Mathieu en profita pour renverser son bol de spaghettis et le bébé s'éveilla en beuglant. Juliette oublia alors son petit pot et fit pipi dans sa culotte.

– Chouette, des enfants! s'écria mademoiselle Charlotte, absolument ravie.

En deux temps, trois mouvements, elle prit la situation en main. Trente minutes plus tard, il n'y avait plus aucune trace de dégât et tous les enfants étaient d'excellente humeur.

«J'espère qu'elle reviendra demain même si je n'ai pas de lettre», souhaita madame Lamarmaille.

Monsieur Laposte achevait habituellement la distribution du courrier à quatorze heures cinquante. Or, il faisait presque nuit quand mademoiselle Charlotte livra sa dernière enveloppe.

Elle avait rencontré de nombreux citoyens, certains charmants, d'autres mal élevés. Mademoiselle Becsec lui avait claqué la porte au nez, mais, dans la maison juste à côté, monsieur Tremblay l'avait régalée d'un gros morceau de tarte à la citrouille garni de crème fouettée.

Mademoiselle Charlotte poussa un soupir en contemplant sa sacoche vide. Elle n'était pas du tout déçue de sa journée. Même qu'elle adorait son nouveau métier.

Mais elle avait un regret...

Toutes ces lettres qu'elle avait livrées étaient restées totalement mystérieuses. Or, mademoiselle Charlotte était très curieuse. Pendant toute la journée, elle avait eu terriblement envie d'ouvrir une enveloppe pour voir ce qu'il y avait dedans.

Mais, bien sûr, c'était défendu...

Source: Dominique Demers, *Une bien curieuse factrice*, p. 22, 23, 27-30. Éditions Québec Amérique inc., 1999. © Dominique Demers.

Mlle Charlotte résistera-t-elle à la tentation d'ouvrir des lettres?

1. Placez-vous en équipe de trois. Nommez d'abord un ou une porte-parole, un animateur ou une animatrice, un scripteur ou une scripteuse. Discutez ensuite des questions suivantes et notez vos idées sur la feuille qu'on vous remettra.

a) Pourquoi Mlle Charlotte est-elle une bien curieuse factrice? Relevez les passages du texte qui justifient votre réponse.

b) Croyez-vous qu'elle a raison d'agir comme elle le fait? Expliquez votre réponse.

c) Selon vous, comment cette histoire se poursuivra-t-elle?

d) Aimeriez-vous exercer ce métier? Pourquoi? Quels métiers aimeriez-vous exercer?

Partagez vos idées en grand groupe.

2. Mlle Charlotte est bien spéciale. Que dirais-tu de la dessiner telle que tu l'imagines en utilisant les indices fournis dans le texte? Tu pourrais ensuite ajouter quelques commentaires personnels au bas de ton dessin et comparer ton travail à celui de tes camarades.

Une nouvelle lettre à Marilyn

Mlle Charlotte a finalement succombé à la tentation. Depuis quelque temps, elle ouvre certaines lettres qu'elle distribue et en transforme le contenu afin de faire plaisir aux gens du village. C'est ainsi qu'un jour elle décide de réécrire une lettre inintéressante envoyée par Peter Power à une dénommée Marilyn Marsouin. Qu'y avait-il dans cette lettre ?

Pour le savoir, placez-vous en équipe de deux et lisez ce qui suit. Vous devrez ensuite vous mettre à la place de Mlle Charlotte et rédiger la lettre que vous croyez qu'elle aurait écrite.

Résumé de l'extrait du roman

Marilyn admire Peter Power, le chanteur-vedette du groupe Magic Monsters. Elle lui a récemment écrit une longue lettre passionnée pour le lui dire. Elle espère recevoir une réponse personnelle, dans laquelle le célèbre chanteur lui parlerait de lui. Marilyn vérifie tous les jours dans sa boîte aux lettres. C'est cette lettre tant attendue que Mlle Charlotte intercepte et ouvre. Voici ce qu'elle découvre sur un petit bout de papier photocopié :

Date

Lieu de provenance →

New York, le 2 février

Appel → Cher admirateur,

Corps du texte → Merci pour l'intérêt que vous portez au groupe Magic Monsters. Continuez à nous encourager et à écouter notre musique.

Salutation → Merci,

Signature → Peter Power, membre du groupe Magic Monsters

Place à la rédaction! Mettez-vous dans les souliers de Mlle Charlotte et rédigez une réponse plus intéressante que Peter aurait pu écrire à Marilyn. Suivez la démarche qui suit.

Je planifie

En vous mettant à la place de Mlle Charlotte, vous vous adressez à Marilyn. Pour vous aider à planifier et à organiser vos idées, remplissez le plan de rédaction qu'on vous remettra.

Je rédige

Sur le modèle de lettre qu'on vous remettra, rédigez maintenant la lettre à Marilyn. Consultez votre plan pour ne rien oublier. Écrivez des phrases complètes. Utilisez des adjectifs variés et précis. Évitez la répétition en employant des pronoms de substitution.

Je révise et je corrige

- Relisez votre lettre pour vérifier si tous les renseignements que vous aviez notés dans votre plan sont présents.
- Mettez un ? au-dessus des mots dont vous doutez de l'orthographe. Vérifiez ces mots à l'aide du dictionnaire et des banques de mots. Faites les corrections nécessaires.
- Vérifiez les accords dans le groupe du nom. Faites une flèche qui part du nom et qui va vers le déterminant et l'adjectif. Ajoutez les marques d'accord.

Je mets au propre

Sur un des modèles de papier à lettres proposés, écrivez individuellement votre lettre au propre. Relisez la version finale et vérifiez s'il ne manque aucun mot.

Je présente

Affichez votre lettre dans la classe.

Je m'évalue

Remplissez individuellement la fiche qu'on vous remettra.

Clés en main

Orthographe et conjugaison

Document reproductible 12

Mes mots

Noms	Adjectifs	Verbes	Mots invariables
un aviateur	agréable	acheter	à droite
une aviatrice	aimable	aider	à gauche
un avion	amical	arrêter	demain
ce boulanger	amicale	cuisiner	directement
cette boulangère	désagréable	dessiner	hier
une boulangerie	entier	emporter	parce que
le cuisinier	entière	étudier	si
la cuisinière	formidable	garder	trop
ce dessin	policier	montrer	
un dessinateur	policière	occuper	
une dessinatrice	semblable	voler	
une ferme	utile		
le fermier			
la fermière			
la police			
ce policier			
cette policière			

Mes verbes conjugués

AIMER			FINIR		
FUTUR SIMPLE			**FUTUR SIMPLE**		
Personne	Radical	Terminaison	Personne	Radical	Terminaison
j'	aim	**erai**	je	fini	**rai**
tu	aim	**eras**	tu	fini	**ras**
il/elle	aim	**era**	il/elle	fini	**ra**
nous	aim	**erons**	nous	fini	**rons**
vous	aim	**erez**	vous	fini	**rez**
ils/elles	aim	**eront**	ils/elles	fini	**ront**

1. a) Classe les noms du tableau *Mes mots* dans un tableau semblable à celui-ci.

Noms qui forment leur féminin en remplaçant *-teur* par *-trice*	Noms qui forment leur féminin en remplaçant *-er* par *-ère*
un aviateur ► une aviatrice	ce boulanger ► cette boulangère

b) Ajoute au moins trois noms de ton choix dans chaque colonne.

c) Choisis un nom dans chacune des colonnes du tableau créé. Puis, compose deux phrases avec chacun de ces noms :

– une phrase dans laquelle le nom est au féminin ;

– une phrase dans laquelle le nom est au masculin.

Pour enrichir tes phrases, essaie d'utiliser plusieurs adjectifs et verbes du tableau *Mes mots*.

2. Observe attentivement le verbe *aimer* au futur simple à la page précédente. Puis, rappelle-toi le verbe *aimer* à l'indicatif présent. (Au besoin, consulte tes tableaux de conjugaison à la page 148.) Complète maintenant le tableau suivant en te servant des verbes en bleu du tableau *Mes mots*.

	Indicatif présent			**Futur simple**		
aider	j'	aid	e	j'	aid	erai
arrêter	tu	arrêt	es	tu	arrêt	eras
cuisiner	il/elle	cuisin	e	il/elle	cuisin	era
dessiner	nous			nous		

3. Certains métiers ont disparu, se sont modifiés ou ont changé de nom. Sur la feuille qu'on t'a remise, associe les métiers d'aujourd'hui aux métiers d'autrefois correspondants.

a) coiffeur ou coiffeuse

b) cordonnier ou cordonnière

c) dentiste

d) fleuriste

e) pharmacien ou pharmacienne

Pour t'aider, cherche des indices dans chacun des mots. Procède par élimination.

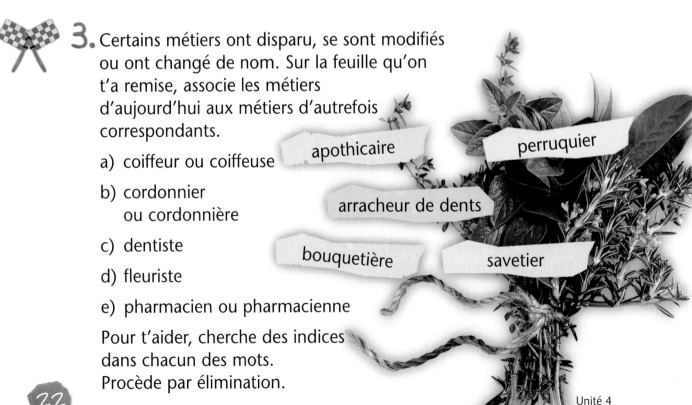

apothicaire

perruquier

arracheur de dents

bouquetière

savetier

Lis les textes qui suivent. Tu découvriras des renseignements intéressants sur quelques métiers d'hier, d'aujourd'hui et de demain. Parmi ces métiers, choisis celui qui se rapproche le plus de tes rêves. Fais ensuite le travail qu'on te proposera.

Des métiers d'hier, d'aujourd'hui et de demain

Un métier d'hier

NOM ET ÂGE

Guillaume de Limoges, dit le Canard Boiteux (vers 1720)

MÉTIER

Chanteur public

SON TRAVAIL

Le Canard Boiteux était chanteur public. Français vivant à Paris, il chantait pour répandre les nouvelles: une guerre, un mariage, la mise à mort d'un condamné...

Entre 1200 et 1800, les chanteurs publics étaient nombreux à se produire dans les rues, en France. Ils répandaient les nouvelles. La profession n'était pas facile à exercer et les chanteurs vivaient misérablement.

La police les surveillait de près et les envoyait fréquemment en prison. On les accusait d'encourager la révolte populaire.

Les chanteurs allaient de quartier en quartier. Les gens les écoutaient de leur fenêtre et leur lançaient des pièces.

Les voitures ont rendu impossible l'activité des chanteurs de rue: le bruit des moteurs couvrait leur voix.

Source: Adapté de G. et L. Laurendon, *Dictionnaire des métiers d'autrefois* (ill.: Boiry, L. Desportes), p. 68-70. © Hachette Jeunesse (coll. Le Livre de poche Jeunesse), 1996.

MÉTIER

Boulanger

SON TRAVAIL

Roger Pistoïa est boulanger. Ce métier l'amène à travailler avec tout ce qui est pâte levée non sucrée. Dans le fournil (lieu de travail du boulanger), il prépare, pétrit et fait cuire la pâte pendant la nuit.

NOM ET ÂGE

Roger Pistoïa, 53 ans

L'aube va se lever. Tonin, prêt à partir pour la chasse, attend assis sur un sac. Il tient la laisse de son chien, son fusil est debout contre le mur. Dans le fournil, le boulanger, en tenue de travail, parle.

Voici un extrait d'une pièce de théâtre mettant en vedette un boulanger.

LE BOULANGER – C'est comme une habitude à prendre. Il y a des boulangers qui dorment toute la journée. Moi, non. Le soir, vers sept heures, je prépare tout, puis je vais me coucher. À une heure du matin, je me réveille, et je descends pétrir. Puis, j'enfourne. Et tu vois, quelle heure il est?

TONIN – Quatre heures juste...

LE BOULANGER – C'est rare si j'ai pas fini à quatre heures juste. Alors pendant que la fournée se cuit, je dors encore une heure et demie, là, près du four. Et à six heures et demie, en descendant, ma femme me réveille. Je sors ma première fournée, et je prépare la seconde pour dix heures.

Source: Marcel Pagnol, *La femme du boulanger*, p. 46-47. Les Éditions Films Marcel Pagnol, 1938. D.R.

baguette — croissant

pain parisien — petit pain rond

baguettine — pain intégral

petit paysan — pain belge

pain de campagne — miche

Un métier d'hier et d'aujourd'hui

MÉTIER

Écrivaine

SON TRAVAIL

Ken Bugul est écrivaine. Elle écrit pour expliquer la réalité de la femme africaine.

NOM ET ÂGE

Marietou Bileoma M'Baye (pseudonyme : Ken Bugul, celle dont «personne ne veut», en wolof), 52 ans

Ken Bugul a grandi dans un tout petit village du Sénégal, entre une mère qu'elle aime plus que tout et un père généreux mais âgé et distant. De cette enfance africaine, elle garde un souvenir : l'immense baobab, l'arbre roi qui poussait devant sa maison. « Avec ses fruits, on faisait du jus pour arroser la bouillie de mil, raconte-t-elle. J'aurais pu passer ma vie à l'ombre du grand arbre. »

Baobab

À 15 ans, elle aurait pu se marier, avoir des enfants. Dans les années 50, c'était l'existence sans surprise des filles de son entourage. Mais à 5 ans, sa vie est bouleversée. Un jour, sans un mot, sa mère monte dans un train, la laissant seule. Désespérée, la petite fille n'a plus qu'une idée en tête : partir à son tour ! Aller loin, rejoindre sa mère. Celle-ci reviendra au bout d'un an. Mais le mal est fait, la distance créée, et le rêve de voir le monde a pris corps. D'autant qu'au même moment, un autre événement survient : l'école ! « Très vite, j'ai su que ma vie serait liée à ces signes qui contiennent l'univers et les émotions : les lettres. »

En 1969, elle est l'une des premières Africaines à débarquer en Europe. [...] Aujourd'hui, Ken vit au Bénin, elle a une fille et voyage souvent. Elle mène sa vie comme elle l'entend. Tournée tantôt vers ses racines africaines, tantôt vers le «pays des Blancs», elle est devenue écrivaine en assemblant les lettres de sa vie.

Source : Jean-Yves Dana, «Ken Bugul écrivain, J'ai fait de ma vie un roman», *Okapi*, n° 685, 23 déc. 2001, p. 15.
© Bayard Jeunesse. Photo de Ken Bugul : © Philippe Dupuich.

MÉTIER

Designer automobile

SON TRAVAIL

Tullia Moretti est designer automobile dans une grande entreprise italienne. Elle est responsable de la conception des nouveaux produits, de l'idée de base au dessin final, dernière étape avant la production.

NOM ET ÂGE

Tullia Moretti,
35 ans

Qu'est-ce qui vous a menée à faire le métier de designer automobile?

Depuis que je suis toute petite, je dessine des voitures. En Italie, d'ailleurs, tout le monde adore les automobiles. C'est pour cette raison que ce métier représente un gros défi. La clientèle demande sans cesse de la nouveauté et veut être étonnée et séduite. Mon métier m'amène donc à concevoir de nouveaux modèles d'automobiles, c'est-à-dire à repenser ou à perfectionner les pièces, l'allure et la performance du véhicule. Je travaille avec une équipe d'une dizaine de personnes, en collaboration avec des spécialistes des différents domaines: mécanique, commercialisation, etc.

Utilisez-vous l'ordinateur pour exécuter vos tâches?

Bien sûr! L'ordinateur peut afficher l'image de l'ensemble du véhicule sous plusieurs angles et en trois dimensions. C'est très pratique lorsque l'on veut, par exemple, décider de l'emplacement d'un accessoire à l'intérieur de l'automobile. Y aura-t-il assez de place? Sera-t-il accessible facilement? Autrefois, il fallait tout dessiner, de l'ébauche au dessin final, à chaque essai d'emplacement. Maintenant, on peut y arriver par quelques manipulations à l'ordinateur. L'ordinateur est ainsi devenu indispensable au travail que je fais. Toutefois, j'utilise encore le crayon à l'étape de l'exploration. Il me semble que mes nouvelles idées sont plus spontanées et riches lorsque je crayonne.

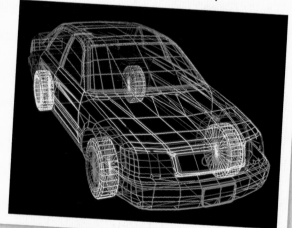

Un métier d'aujourd'hui et de demain

MÉTIER

Téléchirurgien

SON TRAVAIL

Edgar Waldrich est téléchirurgien. Il peut opérer des personnes malades sans avoir à les approcher, grâce à Internet et à des robots perfectionnés.

NOM ET ÂGE

Edgar Waldrich, 39 ans

La téléchirurgie semble plus près de la science-fiction que de la réalité. Utilisez-vous réellement des robots dans votre pratique ?

Bien sûr. Dans les pays les plus développés comme le Canada, on les utilise de plus en plus couramment. Par exemple, tout en étant ici, au Québec, je peux examiner, grâce à l'ordinateur et à Internet, une personne qui demeure dans un village éloigné, dans une autre province ou, même, dans un autre pays. De cette façon, on économise beaucoup d'argent (pas de transport nécessaire) et, surtout, du temps qui pourrait être précieux pour la personne malade. Mon ordinateur est ainsi relié à un endoscope qui m'envoie les images de la zone malade du patient ou de la patiente.

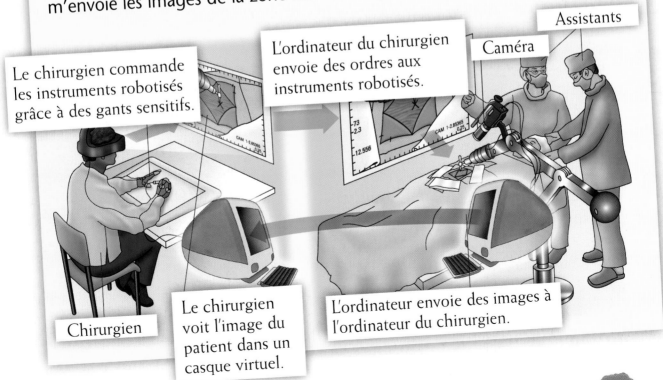

Le chirurgien commande les instruments robotisés grâce à des gants sensitifs.

L'ordinateur du chirurgien envoie des ordres aux instruments robotisés.

Caméra

Assistants

Chirurgien

Le chirurgien voit l'image du patient dans un casque virtuel.

L'ordinateur envoie des images à l'ordinateur du chirurgien.

Un endoscope est un tube optique muni d'un système d'éclairage que l'on introduit dans les cavités naturelles du corps afin de l'examiner.

Oui, mais pouvez-vous opérer?

Oui. Ici, au Canada, nous faisons des chirurgies cardiaques à distance. Le chirurgien s'assoit dans une cabine munie d'un écran vidéo sur lequel il peut voir le cœur de la personne à opérer. Il manie les instruments chirurgicaux qui dirigent le robot. Un programme informatique traduit les gestes du chirurgien en mouvements robotisés.

1. Parmi les métiers qui t'ont été présentés, lequel t'intéresse le plus? Prends quelques minutes pour y réfléchir.

Puis, place-toi avec trois élèves qui partagent les mêmes intérêts que toi. Distribuez d'abord les rôles: animateur ou animatrice, secrétaire, vérificateur ou vérificatrice, porte-parole.

Relisez ensuite le texte sur le métier que vous avez choisi et répondez aux questions suivantes:

a) Qu'est-ce qui vous a frappés dans ce texte? Quels renseignements trouvez-vous intéressants?

b) Qu'est-ce qui vous plaît dans ce métier?

c) Quels autres métiers vous intéressent? Pourquoi?

Discutez de toutes ces questions. Puis, présentez vos réponses aux autres élèves de la classe.

2. Renseigne-toi sur un autre métier. Va à la bibliothèque. Consulte des magazines, des albums documentaires, des sites Internet. Cherche les renseignements qui t'intéressent et note-les sur une fiche. Présente cette fiche aux personnes de ton choix. Conserve cette fiche dans ton portfolio.

La culture, c'est comme les confitures...

Chère grand-mère !

Tu sais quoi ? J'ai reçu une lettre ! À l'occasion de la Saint-Valentin, Sophie, notre enseignante, nous a proposé d'être chacun « l'ange gardien » de quelqu'un de la classe. Nous avons tous secrètement pigé le nom d'un ou d'une camarade. Notre tâche consiste à veiller sur la personne et à essayer de lui faire plaisir chaque jour. On peut lui écrire un petit mot d'encouragement ou de félicitations, on peut lui faire un dessin, lui offrir une fleur... Moi, dans la lettre que j'ai reçue, mon ange gardien me félicitait pour la belle présentation de mon poème. Ça m'a vraiment fait plaisir !

J'ai demandé à Sophie depuis quand les gens s'envoient des lettres. Elle nous a dit que c'était probablement depuis que le papier existe. Et elle nous a raconté d'où venait le papier. C'était intéressant...
Je te raconterai lorsque j'irai te visiter.

　　À bientôt.

　　Ton petit ange

Histoire du papier

Le papier n'a pas toujours existé. Pour transmettre des messages ou tout simplement pour dessiner, on a d'abord écrit sur les murs, les vases, l'écorce, bref, sur tout ce qui était fait pour se conserver longtemps.

Les Égyptiens, eux, ont inventé le papyrus, une ancienne forme de papier. Cela a été une grande invention. Conservé en rouleaux, le papyrus était pratique et beaucoup plus léger que les pierres que l'on utilisait à l'époque !

Mais il ne se conservait pas facilement : c'était un « mets » très recherché des insectes ! On essayait bien de le garder dans des pièces fermées, mais il se dégradait à l'humidité.

On raconte que le secret du « vrai » papier en feuilles a été découvert en l'an 105 par un Chinois nommé Tsaï Lun. Un jour qu'il observait des guêpes, Tsaï Lun remarqua que celles-ci prélevaient des fibres sur des plantes, les mélangeaient avec de la salive et en faisaient les parois de leur nid. Tsaï Lun a alors eu l'idée de broyer des branches de bambou, de les mélanger avec de l'eau et d'en

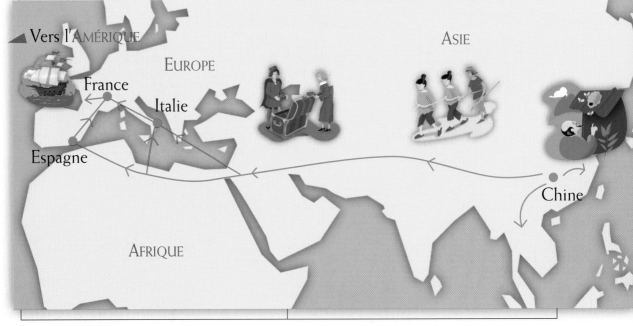

Vers l'AMÉRIQUE

EUROPE

France

Italie

Espagne

AFRIQUE

ASIE

Chine

faire une pâte qu'il fit sécher sur un mur lisse. Mais on raconte aussi que le papier fut utilisé bien avant Tsaï Lun… De toute façon, il est certain que la naissance du papier eut lieu en Chine.

En 751, lorsque les Arabes attaquèrent certaines villes chinoises, ils firent de nombreux prisonniers, dont des artisans papetiers. L'art de la fabrication du papier se propagea donc ainsi vers l'ouest. Plus tard, des marchands apportèrent cet art plus à l'ouest, d'abord jusqu'en Italie et en Espagne, puis jusqu'en France. Lors des grandes conquêtes en Amérique, les marins français se servaient du papier.

Les années ont passé et la recette du papier s'est modifiée. Au début, le papier fabriqué était de couleur beige. Plus tard, un chimiste français a eu l'idée d'ajouter du chlore à la recette afin de rendre le papier plus blanc. Les livres ont d'abord été fabriqués avec du papier à base de lin, de coton ou de chanvre. Ces plantes contiennent beaucoup de cellulose, qui est une substance naturelle nécessaire à la composition du papier. Aujourd'hui, les livres sont fabriqués avec du papier à base de bois. Mais le bois contient moins de cellulose : les feuilles de papier sont donc moins résistantes et, par conséquent, les livres se conservent moins bien qu'autrefois.

Il y a très longtemps, des troubadours ont même inventé une chanson pour rendre hommage à ceux qui produisaient le papier. En la chantant, on frappait du talon pour marquer la mesure et imiter le bruit du maillet.

La chanson des papetiers

1
De bon matin je me suis levé,
Vive les garçons papetiers,
De bon matin je me suis levé,
Vive la feuille blanche !
Vive les garçons papetiers
Qui font leur tour de France !

2
Dans mon jardin je suis allé,
Vive les garçons papetiers,
Dans mon jardin je suis allé,
etc.

3
Une rose j'y ai coupée,
Vive les garçons papetiers,
Une rose j'y ai coupée, etc.

4
À ma mie je l'ai donnée,
Vive les garçons papetiers,
À ma mie je l'ai donnée, etc.

5
Elle m'a bien remercié,
Vive les garçons papetiers,
Elle m'a bien remercié, etc.

On a vite compris toute l'importance de l'invention du papier : elle permettait de pouvoir échanger et de partager nos connaissances !

Et que ferions-nous sans papier ? On ne pourrait pas envoyer de lettres, de cartes de souhaits... On n'aurait pas de journaux, pas de livres. Imagine une école sans papier : pas de livres, de cahiers, d'examens et de bulletins !

Tu sais Sarah, le papier est aussi quelquefois utilisé pour faire des choses un peu étranges... Par exemple, savais-tu qu'un grand couturier, Issey Miyake, fabriquait des vêtements en papier ?

Le papier, c'est comme les confitures : il y en a vraiment pour tous les goûts...

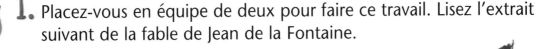

Clés en main

La phrase exclamative

1. Placez-vous en équipe de deux pour faire ce travail. Lisez l'extrait suivant de la fable de Jean de la Fontaine.

Le corbeau et le renard

Maître Corbeau, sur un arbre perché,
Tenait en son bec un fromage.
Maître Renard, par l'odeur alléché,
Lui tint à peu près ce langage :
« Hé ! bonjour, Monsieur du Corbeau.
Que vous êtes joli ! Que vous me semblez beau !
Sans mentir, si votre ramage
Se rapporte à votre plumage,
Vous êtes le phénix des hôtes de ces bois. »

Source : Jean de La Fontaine, *Fables*.

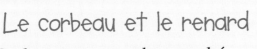

a) Comparez les phrases suivantes et relevez ce qui est différent et ce qui est semblable.

Que vous êtes joli !	► Vous êtes joli.
Que vous me semblez beau !	► Vous me semblez beau.

b) Les phrases de gauche sont exclamatives. Selon vous, à quoi sert une phrase exclamative ?

c) Comparez votre réponse à la définition donnée au bas de la page suivante. Que remarquez-vous ?

2. Repérez les mots exclamatifs dans chacune des phrases suivantes.

a) Comme c'est difficile de jouer du piano !

b) Quel beau concert vous avez donné !

c) Que ce tableau de Miyuke Tanobe est beau !

3. Indiquez quels sentiments sont exprimés dans chacune
des phrases suivantes.

   a) Quel joli poème il a composé!

   b) Comme c'est agréable d'écouter de la musique!

   c) Que vous êtes triste de voir cet oiseau blessé!

4. Indiquez si chacune des phrases suivantes est déclarative,
exclamative ou interrogative.

   a) Le cuisinier prépare un plat délicieux.

   b) Qu'il est délicieux le plat que prépare le cuisinier!

   c) Qui prépare un plat délicieux?

5. Lisez le poème suivant. Composez, sur ce modèle, un poème
semblable, tout en exclamation. Vous pouvez utiliser les mots en
couleur au début de chaque vers.

> Que je suis comique
> quand je fais de la musique!
> Que c'est merveilleux
> quand tout le monde est heureux!
> Comme c'est formidable!
> Que la vie est agréable!

Je comprends | **La phrase exclamative**
La phrase exclamative sert à exprimer un sentiment ou une
émotion. À l'écrit, elle se termine par un point d'exclamation (!).
Elle est construite à partir d'une phrase déclarative.

Ex.: Cette chanteuse chante bien. ► **Comme** cette chanteuse
                                       chante bien!

   Elle a du talent.   ► **Quel** talent elle a!
   Je suis fière.   ► **Que** je suis fière!

Attention! On peut aussi exprimer un sentiment ou une émotion
avec une phrase déclarative suivie d'un point d'exclamation.

Ex.: Un jour, je serai champion du monde!

Je lis, tu lis, nous lisons...

Voici quelques poèmes dans lesquels il est question de personnes exerçant différents métiers. Observe les titres et fais un survol des poèmes. Choisis ensuite le poème qui semble te plaire davantage et qui évoque en toi des images. Plus tard, tu devras illustrer et présenter ce poème avec quelques camarades. Laisse-toi bercer par la poésie...

Le facteur

Le facteur n'a jamais de lettre
À me remettre.

Il rit quand je l'attends
Sous l'auvent.

Je tremble chaque fois
Qu'il ouvre devant moi
Sa sacoche à secrets.

« Cette facture-là,
C'est pour votre papa,
Et la carte en couleur
Avec un cœur,
C'est pour votre grande sœur.

Pour vous, il n'y a toujours rien,
Mademoiselle. »
Et il rit de plus belle
En s'éloignant sur le chemin.

Hélas! je le sais bien!
Il n'a jamais de lettre
À me remettre.

Et pourtant, je l'attends
Chaque jour sous l'auvent.

Le Facteur Roulin
Vincent van Gogh (1853-1890)

Source: Maurice Carême, *La lanterne magique*. © Fondation Maurice Carême.

La girafleuriste

La girafleuriste est toujours de bonne humeur.
Le printemps et l'été
sont ses saisons préférées.
Elle cultive les fleurs.
Elle donne du bonheur.

Toute sa vie est parfumée,
et son cœur, ensoleillé.
Et à minuit, quand elle sort dans son jardin
pour admirer le ciel,
elle compte les étoiles en fredonnant:

j'aime la vie un peu
beaucoup
passionnément...
à la folie.

Source: M. Bonenfant et R. Soulières,
L'abécédaire des animots. © Les heures bleues, 2000.

Un poète

Un poète
C'est un être unique
À des tas d'exemplaires
Qui ne pense qu'en vers
Et n'écrit qu'en musique
Sur des sujets divers
Des rouges ou des verts
Mais toujours magnifiques.

Source: Boris Vian, *Je voudrais pas crever.* © Pauvert, 1962. ©SNE Pauvert, 1979.
© Pauvert département des éditions Fayard, 2000.

Le boulanger

Qu'il est drôle, le boulanger
Avec ses cheveux couleur de farine!
Sur ses bras, ses mains et sur sa poitrine
On dirait qu'il vient de neiger.

Sans se lasser, d'un geste prompt,
Tandis qu'au village chacun sommeille,
Il moule les pains au creux des corbeilles,
Pareils à des chats accroupis en rond.

Puis, dans le four au cœur vermeil,
Il les plonge au bout d'une longue pelle
Et, bientôt, les miches en ribambelles
Sortiront, couleur de soleil.

Source: Raymond Richard, *À petits pas*. © Mᵐᵉ Andrée Richard. D.R.

L'épicière

Sa tête est rangée
sur l'étagère
entre les herbes de Provence
et la moutarde de Dijon.
Quand la porte s'ouvre
et que tintinnabule le timbre,
elle oscille
comme une étiquette
et dit «Bonjour,
que désirez-vous?»

Alors l'enfant s'enfuit
avec une provision de peur.

Source: Michel Monnereau, *Poèmes en herbe*, p. 22.
Éditions Milan, 1994. © Michel Monnereau.

Le marchand de journaux

Le petit marchand de journaux
du métro Bonne-Nouvelle
crie tous les soirs
au coin de son boulevard
des titres sensationnels: [...]
– Demandez les bonnes nouvelles
des amis de toutes les races
qui parlent toutes les langues de l'arc-en-ciel.
Chez eux chez nous la vie est douce
Il y a des maisons pour tous
du gazon de l'eau de la mousse
des squares des jardins fleuris
en Europe en Océanie
en Afrique en Asie
aux deux Pôles ou en Amérique
on plante des arbres à musique
des arbres où les oiseaux sont heureux
et tout le monde chante avec eux.

Source: © Jacques Charpentreau,
La Ville enchantée, 1976.

Le balayeur des rues

Poussins désemparés, les feuilles jaunes volent.
Qui t'a donné l'automne, ô balayeur des rues?
En passant tu souris aux portes des écoles:
Oui, sous les marronniers les feuilles sont en crue.
Va, choisis la plus belle à l'enfant que tu fus.

Tu prends l'or à ta guise, ô balayeur d'automne!
De l'or qui s'amoncelle à l'ombre des statues
Et de ton pas tranquille et que plus rien n'étonne,
Comme un chasseur lassé tu reprends la battue
Et le gibier foisonne à tes regards têtus.

Source: Micheline Dupray, *La ville des poètes*. © Hachette Livre
(coll. Le Livre de poche Jeunesse), 1997.

Éloge bleu d'une maîtresse

Ses mains sont feuilles persistantes
d'un arbre venu de si loin
que l'écriture aux cent chemins
lui doit d'être forêt d'enfance.

Elle sait déchiffrer les sources,
calculer le poids des saisons,
lire les traces des prénoms
des sept petits de la Grande Ourse.

Son cœur est un coquelicot
apprenant, dans le blé qui lève,
à tirer le grain des poètes
pour l'héritage des oiseaux

et le pollen de sa parole
transforme en ruche son école.

Source: © 1999 Éditions Milan/Jean-Hugues Malineau/Poème
«Éloge bleu d'une maîtresse» de Daniel Reynaud/Mille ans de poésie.

1. Maintenant que tu as choisi un poème, place-toi avec trois élèves qui ont fait le même choix que toi. Relisez attentivement ce poème en vous imaginant que le ou la poète vous a engagés comme illustrateurs ou illustratrices. Suivez la démarche qu'on vous propose.

- Discutez d'abord de la répartition des rôles : responsable du matériel, animateur ou animatrice, porte-parole, narrateur ou narratrice.

- Ensemble, trouvez les passages qui font image et qui pourraient être illustrés. Imaginez comment vous pourriez illustrer ces passages.

- Divisez le poème en parties et décidez de quelle façon vous procéderez. Utiliserez-vous une ou plusieurs feuilles ? De quel matériel aurez-vous besoin ? Faites un croquis. Puis, illustrez votre poème.

- Présentez maintenant votre poème à la classe. Le narrateur ou la narratrice en fait d'abord une lecture expressive. Ensuite, le ou la porte-parole présente les illustrations en les associant aux images relevées dans le poème.

Si possible, prenez une photographie de votre réalisation et placez-la dans votre portfolio.

2. Laisse ensuite des traces de cette activité dans ton carnet de lecture. Quel poème as-tu le plus apprécié ? Écris le titre et donne la source. Copie quelques vers qui te plaisent particulièrement. Ajoute un commentaire. Donne ton opinion sur les images ou sur certains aspects du poème.

Projet

Une semaine du français tout en poésie

À la mi-mars, ce sera la semaine du français dans toutes les écoles du Québec. Pour cette occasion, vous allez organiser un projet autour de la poésie.

Depuis le début de cette unité, vous avez entendu, lu et composé des poèmes. Vous avez pu exercer vos talents de poètes. Il serait intéressant maintenant de mettre à l'œuvre toutes ces compétences que vous avez développées.

Voici quelques suggestions pour vous guider dans votre choix de projet:

• constituer un recueil illustré de poèmes;

• concevoir une anthologie enregistrée;

• participer à un récital de poésie.

Exploration

En grand groupe, choisissez d'abord votre projet.

Puis, trouvez un thème qui vous intéresse: les animaux, l'hiver, l'amitié, l'humour... Partagez vos idées. Discutez-en et faites consensus sur le thème.

Votre thème choisi, explorez à fond cette thématique.

Vous devez ensuite consulter toutes les ressources possibles. Vous pouvez chercher dans des recueils, des anthologies ou Internet; vous pouvez aussi interroger des personnes de votre entourage.

Finalement, faites le point sur vos trouvailles. Avez-vous suffisamment de matériel pour concevoir un projet sur ce thème? Si ce n'est pas le cas, il vous faudra alors changer de thème ou poursuivre vos recherches. Si vous êtes suffisamment documentés, passez à l'étape suivante après avoir rempli la partie *Exploration* de la feuille qu'on vous remettra.

Planification

Formez maintenant des équipes de travail à partir des consignes que vous donnera votre enseignant ou enseignante.

- Qu'est-ce que vous voulez faire dans ce projet? Quel est le but de votre projet?
- De quoi avez-vous besoin: poèmes, accessoires, matériel d'arts plastiques, matériel audiovisuel?
- Combien de temps avez-vous pour réaliser votre projet?
- Comment allez-vous répartir les tâches?

Pour bien planifier votre projet, remplissez la partie *Planification* de la feuille qu'on vous a remise.

Réalisation

Allez-y! Réalisez votre projet.

Consultez votre manuel, votre portfolio et votre carnet de lecture pour faire un retour sur tout ce que vous avez fait et appris.

Rappelez-vous le but que vous poursuivez et explorez différentes possibilités de réalisation. Exprimez votre créativité!

Respectez les rôles de chacun et chacune.

En cours de route, évaluez régulièrement votre travail. Rappelez-vous les activités que vous avez réalisées auparavant.

Préparez la présentation de votre projet.

Communication

Présentez votre projet en respectant le plan que vous avez préparé.

Évaluation

Vous avez appris beaucoup de choses depuis le début de l'année. Faites un bilan de tout cela. Remplissez la feuille qu'on vous remettra.

Clés en main

Document reproductible 18

Mes mots

Noms	Adjectifs	Verbes	Mots invariables
mon bureau	direct	crier	franchement
le cirque	directe	demander	lentement
notre classe	franc	dépenser	naturellement
l'église	franche	frapper	parfaitement
une gare	magique	oublier	rarement
cette industrie	parfait	passer	sagement
notre magasin	parfaite	porter	seulement
un magicien	sportif	présenter	
une magicienne	sportive	sauter	
la magie		tomber	
ce maître		tourner	
cette maîtresse			
un marché			
mars			
le métro			
un patron			
une patronne			
une salle			
cette vitrine			

Mes verbes conjugués

AVOIR			ÊTRE		
CONDITIONNEL PRÉSENT			**CONDITIONNEL PRÉSENT**		
Personne	Radical	Terminaison	Personne	Radical	Terminaison
j'	au	**rais**	je	se	**rais**
tu	au	**rais**	tu	se	**rais**
il/elle	au	**rait**	il/elle	se	**rait**
nous	au	**rions**	nous	se	**rions**
vous	au	**riez**	vous	se	**riez**
ils/elles	au	**raient**	ils/elles	se	**raient**

Le conditionnel exprime une action ou un fait à venir, mais qui est incertain. Le conditionnel indique aussi ce qui se passerait si l'action exprimée par l'imparfait était réalisée. Par exemple : Si j'étais astronaute, je visiterais toutes les planètes de la galaxie.

1. a) Lis tous les mots invariables du tableau *Mes mots*. Enlève ensuite la dernière syllabe de chacun de ces mots. Puis écris les nouveaux mots que tu viens de trouver.

b) À quelle classe de mots appartiennent les mots que tu as écrits?

c) Quel est le genre de ces mots?

d) En t'inspirant des réponses données en b) et en c), trouve une stratégie pour retenir l'orthographe de ces mots invariables.

2. a) Lis les noms du tableau *Mes mots*. Classe ces noms selon les caractéristiques que tu remarques. Pour t'aider, observe le tableau suivant et utilise-le pour ton classement. Attention! Certains mots peuvent être placés dans plusieurs colonnes du tableau et d'autres mots peuvent ne pas y apparaître du tout.

Lettre finale	Double consonne	Accent	s qui se prononce [z]
le cirqu<u>e</u>	une magicie<u>nn</u>e	ce ma<u>î</u>tre	l'égli<u>s</u>e

b) Ajoute sous chaque colonne quelques mots que tu as déjà appris.

3. En t'inspirant des modèles suivants, compose un court poème pour présenter ton rêve d'avenir.

Plus tard, j'aimerais être...

A
Si j'étais un coureur automobile,
Je serais vif, agile et dégourdi.
Je ferais le tour de la piste dans mon bolide
Et je roulerais à la vitesse d'un éclair.

B
Si j'étais une chirurgienne,
Je serais minutieuse, habile et patiente.
Je ferais des études approfondies sur l'anatomie
Et avec un scalpel et un peu de fil, je sauverais des vies.

Les poèmes, bien sûr, servent à exprimer ou à faire ressentir des émotions. Quelquefois, c'est le sourire et même le rire qu'on veut faire naître chez le lecteur ou la lectrice. Lis les quatre poèmes suivants et découvre ce qu'ils ont d'amusant.

Poèmes et jeux de mots

Chanson pour les enfants l'hiver

Dans la nuit de l'hiver
galope un grand homme blanc
galope un grand homme blanc

C'est un bonhomme de neige
avec une pipe en bois
un grand bonhomme de neige
poursuivi par le froid

Il arrive au village
il arrive au village
voyant de la lumière
le voilà rassuré

Dans une petite maison
il entre sans frapper
Dans une petite maison
il entre sans frapper
et pour se réchauffer
et pour se réchauffer
s'assoit sur le poêle rouge
et d'un coup disparaît
ne laissant que sa pipe
au milieu d'une flaque d'eau
ne laissant que sa pipe
et puis son vieux chapeau...

Source : Jacques Prévert, *Histoires*.
© Éditions Gallimard.

Observe les rimes, ces sons qui reviennent à la fin des vers.

Chanson en ule

Quand sonne la pendule,
Paraît la tarentule,
Le poisson fait des bulles,
La chevêche ulule,
Et chez le cousin Jules,
Claquent les mandibules,
Tandis que déambulent
De charmants somnambules,
Et que tintinnabulent
Les clochettes des mules,
Qui par ici circulent
De l'aube au crépuscule.

Source : Georges Jean, *Écrit sur la page.*
© Gallimard Jeunesse, 1992.

Silence, on tourne !

Chez moi,
Le réfrigérateur ronronne,
Le robinet miaule,
La radio babille,
La pendule jacasse,
Le téléphone stridule,
La bouilloire siffle,
Le sèche-cheveux bourdonne,
La sonnette couine,
L'aspirateur rugit,
Le chauffe-bain beugle,
L'électrophone gazouille,
La machine à laver mugit,
Le magnétophone jase,
Le moulin à café vrombit,
Quel travail
Pour dompter toute cette ménagerie !

Source : Jacques Charpentreau,
Mon premier livre de poèmes pour rire,
p. 83. © Petite enfance heureuse,
Éditions Ouvrières et P. Zech éditeur, 1986.

Nuage blanc dans le ciel, arrête de jouer à cache-cache avec mon ami le soleil !

Source : *Comme un livre CE2*, p. 32. © Hachette Livre, 1997.

Placez-vous en équipe de deux et répondez aux questions 1 et 2.

1. a) Dans « Chanson pour les enfants l'hiver », quelle image vous fait le plus sourire ?

b) Qu'est-ce qu'il y a d'amusant dans cette image ?

2. Qu'est-ce qui est comique ou inhabituel dans les poèmes suivants :

a) « Chanson en ule »

b) « Silence, on tourne ! »

c) « Nuage »

3. À ton tour maintenant de créer un calligramme. Deviens poète !

a) Pense très fort aux choses que tu aimes.
Fais-en une liste : le soleil, ma maison,
un arbre, une fleur, un oiseau, une étoile...

b) Choisis un de ces sujets. Ferme les yeux.
Quelles images vois-tu ? Écris
une ou deux phrases qui
décrivent cette image.
Vérifie l'orthographe
des mots.

c) Dessine la forme de ce que tu as choisi.

d) Recopie ton poème en suivant les lignes
que tu viens de tracer.

e) Décores-en ton portfolio.

4. Laisse des traces du poème que vous trouvez le plus amusant
dans votre carnet de lecture : un dessin, une copie du poème au
complet ou de quelques vers. N'oubliez pas d'indiquer la source.

Double clic

Écoute mon poème

Un poème, un plaisir pour les oreilles... T'es-tu déjà entendu lire? Quoi de mieux qu'un poème pour te sensibiliser à l'importance du rythme, des pauses, des intonations, des nuances? Dans cet atelier, tu enregistreras ta voix en train de donner vie à une jolie poésie!

Les mots transformés

Un poème, un plaisir pour les yeux... Cette fois, pour donner vie à ta poésie, tu choisiras l'écrit. Mots-images, jeux de calligraphie, disposition des lettres, symétrie... vas-y! Fais preuve de créativité... pour notre bonheur!

À chacun son métier

Tu connais sûrement le jeu de mémoire qui consiste à faire des associations entre des mots, des images... Avec ton équipe et à l'aide de l'ordinateur, tu vas en fabriquer un. Tu formeras des paires en associant des outils de travail aux métiers correspondants. Bécher, stéthoscope, miroir ardent... À qui appartiennent ces instruments? Trouve-le avant ton adversaire!

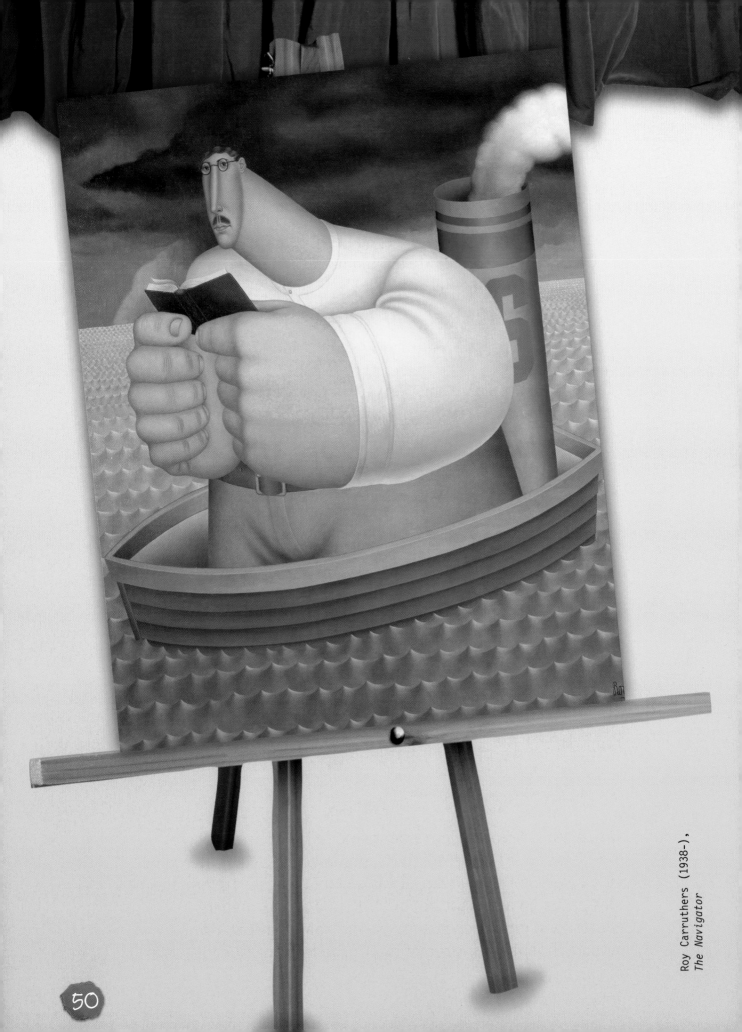

Roy Carruthers (1938-),
The Navigator

Coup de pouce à l'environnement

Dans l'unité 2, tu as lu des albums documentaires pour t'informer et te documenter sur la santé et la sécurité. Cette fois, tu vas te documenter sur l'environnement à l'aide d'articles de magazines.

Un magazine, c'est intéressant parce qu'on peut y trouver rapidement une foule de renseignements. De plus, les illustrations et les photographies y sont nombreuses.

Après avoir lu toutes sortes d'articles sur l'environnement, tu vas rédiger un court article sur le sujet. Tu devras aussi faire preuve d'imagination en recyclant des objets afin de créer une sculpture. La protection de l'environnement, c'est important d'en parler, mais c'est encore plus important d'agir.

« J'ai vu une herbe folle.
Quand j'ai su son nom,
Je l'ai trouvée plus belle. »
(haïku japonais)

Je protège mon environnement

Prendre soin de l'environnement est la responsabilité de tous et de toutes. De quelle façon pourrais-tu prendre part à cette responsabilité collective? L'activité suivante va te permettre de discuter avec d'autres élèves pour trouver des moyens de protéger l'environnement.

 Placez-vous en équipe de quatre. Observez les illustrations présentées ci-dessous et ci-contre. Le graffiti collectif qu'on vous propose de créer vous permettra de faire un survol des différents moyens de protéger l'environnement.

1. Au signal qu'on vous donnera, trouvez différents moyens de protéger l'environnement. Présentez ces moyens sur un carton sous la forme de graffitis (mots, phrases courtes, graphiques, croquis, dessins, etc.). Vous disposez de cinq minutes pour laisser des traces de vos idées.

2. Lorsque le temps est écoulé, passez votre carton à l'équipe voisine qui ajoutera ses suggestions. Pendant ce temps, votre équipe inscrira les siennes sur le carton d'une autre équipe. Au bout de cinq minutes, vous changerez encore de carton et vous continuerez ainsi la rotation des cartons jusqu'au retour de votre carton initial.

3. Affichez ensuite les graffitis et, en grand groupe, faites le bilan des différents moyens qui ont été proposés.

Au temps de tes arrière-grands-parents, la vie était bien différente. Les gens consommaient moins et ils prenaient davantage soin de leurs biens. Qu'est-ce qui était si différent ? Que connais-tu de cette époque ?

Avant de commencer la lecture du texte présenté ci-dessous, remplis les deux premières colonnes du tableau SVA sur la feuille qu'on te remettra. Dans la colonne S, indique ce que tu **sais** de cette époque. Puis, dans la colonne V, inscris ce que tu **veux** apprendre, ce que tu aimerais trouver dans ce texte.

Lis ensuite le texte. Tu pourras remplir la colonne A par la suite.

Au temps de tes arrière-grands-parents

Pendant la première moitié des années 1900, tes arrière-grands-parents ont connu la guerre, la pénurie et le chômage. Ils n'étaient jamais sûrs du lendemain, aussi entretenaient-ils leurs biens, meubles, tapis ou vêtements plus soigneusement qu'on ne le fait aujourd'hui.

Dans les familles nombreuses, les plus jeunes portaient les vêtements des plus vieux.

On reprisait les chaussettes et les habits déchirés. On réparait les sacs, les casseroles et les chaudrons. Les ciseaux et les couteaux allaient chez le rémouleur. Les animaux domestiques mangeaient les restes des repas, le fumier était utilisé dans les jardins, on se servait des journaux comme papier hygiénique ou on les brûlait dans les poêles pour se chauffer. La mère de famille revenait de faire ses emplettes avec des aliments bien emballés dans du papier qu'elle conservait avec soin pour réutilisation. De nombreux livreurs passaient de maison en maison apporter directement dans la casserole, dans le bocal ou dans le panier les produits domestiques.

On livrait le lait dans des bouteilles réutilisables.

Ainsi nos aïeux produisaient-ils beaucoup moins de déchets que nous. La production de déchets s'accélère depuis environ 50 ans, plus exactement depuis le grand boom économique qui a suivi la Seconde Guerre mondiale (1939-1945). On produit et consomme énormément, et toujours davantage. Tes arrière-grands-parents ont connu le livreur de glace et ses gros blocs d'eau gelée qu'il vendait dans les rues.

Avant l'invention du réfrigérateur, on achetait de la glace pour conserver les aliments.

Bien vite, les réfrigérateurs devaient le faire disparaître. Puis vinrent les tourne-disques, les magnétophones, les transistors, les téléviseurs et tous les plastiques accompagnant l'électroménager moderne.

Certes, les produits de synthèse existaient autrefois, mais leur banalisation n'a commencé qu'après 1950. La facilité d'entretien des rideaux et des vêtements actuels tient au fait qu'il n'y a plus à les repasser. Tous les tissus synthétiques sont appréciés pour la même raison. Les poêles à bois, où finissaient les emballages et tous les matériaux combustibles, ont été remplacés par le chauffage électrique, au gaz ou au mazout.

Source: Adapté de B. Veit et C. Wolfrum, *Les déchets sur notre planète*.
Livres de l'environnement /4, p. 28-29. © Gallimard Jeunesse (coll. Découverte Cadet), 1994.

1. Sur la feuille qu'on t'a remise, écris le sens de chacun des mots en couleur.

2. Inscris ensuite, dans la colonne A du tableau SVA, ce que tu as **a**ppris en lisant le texte.

3. Place-toi en équipe avec un ou deux élèves. Comparez vos réponses de la colonne A et discutez-en.

4. Relisez ensuite le texte et utilisez la feuille qu'on vous remettra pour préparer une communication orale sur le sujet suivant: quelles sont les actions accomplies autrefois que l'on pourrait refaire aujourd'hui afin de protéger notre environnement?

Finalement, évaluez votre présentation.

Clés en main

Orthographe d'usage
et grammaticale

Le pluriel des noms et des adjectifs

Mes mots

Noms	Adjectifs	Verbes	Mots invariables
avril	bas	cacher	à
du bois	basse	continuer	à côté
le bord	doux	manquer	contre
au bout	douce	monter	près
un côté	gras	pousser	presque
l'eau	grasse	rentrer	sans
une feuille	montagneux	rester	
l'herbe	montagneuse	rouler	
un lieu	venteux	sembler	
la mer	venteuse	toucher	
ce milieu		traverser	
la montagne			
un nuage			
le pont			
un port			
le printemps			
le vent			

Mes verbes conjugués

AIMER			FINIR		
CONDITIONNEL PRÉSENT			**CONDITIONNEL PRÉSENT**		
Personne	Radical	Terminaison	Personne	Radical	Terminaison
j'	aim	**erais**	je	fini	**rais**
tu	aim	**erais**	tu	fini	**rais**
il/elle	aim	**erait**	il/elle	fini	**rait**
nous	aim	**erions**	nous	fini	**rions**
vous	aim	**eriez**	vous	fini	**riez**
ils/elles	aim	**eraient**	ils/elles	fini	**raient**

Regrouper les mots qui présentent une même difficulté est une bonne stratégie pour retenir leur orthographe.

1. Trouve tous les noms du tableau *Mes mots* qui se terminent par une lettre muette.

2. Pour former le pluriel d'un nom ou d'un adjectif, la règle générale est d'ajouter un *s* à ce nom ou à cet adjectif singulier.

Trouve les noms et les adjectifs du tableau *Mes mots* (p. 57) qui forment leur pluriel de cette façon. Donne leur forme plurielle. Ajoute un déterminant devant chacun des noms.

3. a) Mets les énoncés suivants au pluriel:

> du bois doux   le printemps nuageux

b) Que remarques-tu sur la façon dont les noms et les adjectifs forment leur pluriel ici? Vérifie ta réponse en lisant la règle écrite dans la rubrique *Je comprends*. Corrige-la au besoin.

c) Trouve les autres mots du tableau *Mes mots* qui forment leur pluriel de cette façon.

4. a) Trouve le pluriel du nom suivant: *lieu*. Vérifie ta réponse en lisant la règle écrite dans *Je comprends*. Corrige-la au besoin.

b) Trouve les autres mots du tableau *Mes mots* qui forment leur pluriel de cette façon.

5. En utilisant des mots du tableau *Mes mots*, compose trois phrases qui commencent par *Si j'étais* ou *Si j'avais*.

On écrit *des pneus*. Pour former le pluriel du nom *pneu*, on ne respecte pas la règle générale. C'est donc une exception.

Je comprends	**Le pluriel des noms et des adjectifs**

Le pluriel des noms et des adjectifs
Règle générale, on forme le pluriel des noms et des adjectifs en ajoutant un *s* au mot singulier.
Ex.: La feuille douce ► Les feuille**s** douce**s**

Les noms et les adjectifs qui se terminent par *s, x* ou *z* au singulier ne changent pas au pluriel.
Ex.: Un printemps venteux ► Des printemps venteux

Les noms qui se terminent en *au, eau* ou *eu* au singulier prennent un *x* au pluriel.
Ex.: Ce milieu ► Ces milieu**x**

Des déchets, il y en a beaucoup trop. Heureusement, de nombreuses matières sont réutilisables ou recyclables. C'est le cas, par exemple, du papier et du carton. Mais que deviennent ces matières après qu'elles ont été récupérées?

Pour en connaître davantage sur le sujet, placez-vous en équipe de deux. Observez le titre, les intertitres et les illustrations. Lisez attentivement le texte.

La fibre du recyclage

Que deviennent les papiers et les cartons usagés après avoir été ramassés par le camion de la collecte sélective?

1. ▬▬▬▬▬

Ici, on sépare le papier et le carton du verre, du plastique et du métal. Puis on forme d'énormes ballots qu'on expédie vers les usines de pâtes et papiers.

2. Le triturateur

À l'usine, les ballots sont défaits et le papier est déchiqueté puis mélangé à de l'eau pour former une pâte.

3. ▬▬▬▬▬

Cet appareil retire de la pâte tous les objets indésirables: agrafes, trombones, ficelles, etc. Il élimine aussi la colle et les saletés.

4. ▮▮▮▮▮▮▮▮▮▮▮

On verse des détergents dans la pâte pour en retirer l'encre, puis on la rince pour obtenir une pâte bien propre. (Les vieux papiers ne sont pas toujours désencrés. Mais pour obtenir du papier blanc, il est essentiel d'éliminer la vieille encre.)

5. ▮▮▮▮▮▮▮▮▮▮

Pour obtenir du papier plus solide, on ajoute souvent des fibres vierges (provenant de copeaux de bois) à la pâte de fibres recyclées.

6. La machine à papier

La pâte est étendue sur une grande toile qui défile à 100 km/h. Un énorme aspirateur retire l'eau: la pâte devient du papier.

Que fait-on avec le papier recyclé?

Le papier recyclé convient très bien à la fabrication de papier journal, d'essuie-tout, de papier hygiénique, d'annuaires de téléphone, de carton, etc. Le papier journal contient en moyenne 20 % de papier recyclé; le papier hygiénique... jusqu'à 100 %!

Recycler, c'est intelligent!

Moins de déchets sont enfouis dans les dépotoirs. La fabrication de pâte recyclée exige beaucoup moins d'eau et d'énergie que la fabrication de pâte non recyclée.

Source: *Les Débrouillards*, n° 198, novembre 2000, p. 25. (Ill.: J. Goldstyn.)
En collaboration avec l'Association des industries forestières du Québec.

1. Plusieurs intertitres avaient été enlevés dans le texte que vous avez lu. Sur la feuille qu'on vous remettra, replacez-les aux endroits appropriés.

Le centre de tri	L'ajout de fibres vierges
Le désencreur	L'épurateur

2. Trouvez ensuite différents moyens de réutiliser le papier. Puis, présentez vos solutions à la classe.

Clés en main

La famille de mots

1. Placez-vous en équipe de deux pour faire le travail. Observez les mots définis. Ils font partie d'une même famille de mots.

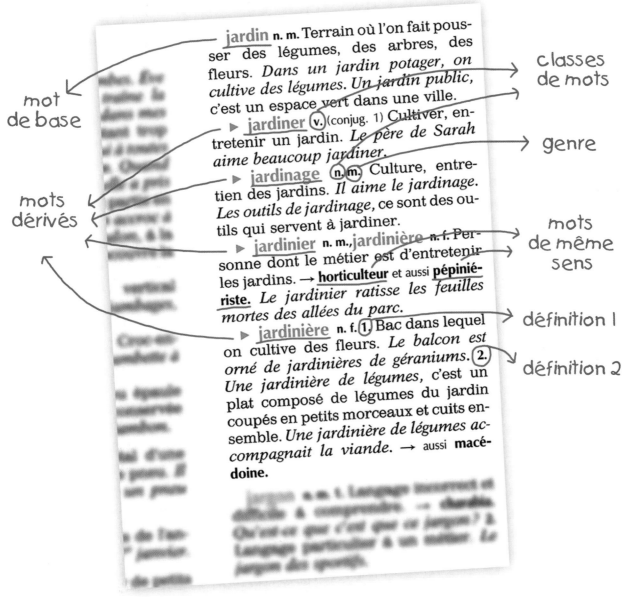

mot de base

mots dérivés

classes de mots

genre

mots de même sens

définition 1

définition 2

> **jardin** n. m. Terrain où l'on fait pousser des légumes, des arbres, des fleurs. *Dans un jardin potager, on cultive des légumes. Un jardin public, c'est un espace vert dans une ville.*
> ▶ **jardiner** v. (conjug. 1) Cultiver, entretenir un jardin. *Le père de Sarah aime beaucoup jardiner.*
> ▶ **jardinage** n. m. Culture, entretien des jardins. *Il aime le jardinage. Les outils de jardinage*, ce sont des outils qui servent à jardiner.
> ▶ **jardinier** n. m., **jardinière** n. f. Personne dont le métier est d'entretenir les jardins. → **horticulteur** et aussi **pépiniériste.** *Le jardinier ratisse les feuilles mortes des allées du parc.*
> ▶ **jardinière** n. f. 1. Bac dans lequel on cultive des fleurs. *Le balcon est orné de jardinières de géraniums.* 2. *Une jardinière de légumes*, c'est un plat composé de légumes du jardin coupés en petits morceaux et cuits ensemble. *Une jardinière de légumes accompagnait la viande.* → aussi **macédoine.**

Source : *Le Robert junior illustré*, p. 548-549. © Dicorobert.

a) Selon vous, pourquoi dit-on que ces mots sont de la même famille ?

b) Selon vous, comment forme-t-on des mots de même famille ? Comparez vos réponses aux définitions données dans la rubrique *Je comprends* (p. 62). Faites les corrections nécessaires.

2. Lisez le texte suivant.

Les habitats

Les **habitats** sont les «maisons» des millions d'animaux et végétaux différents vivant sur la Terre. Partout dans le **monde**, des habitats sont détruits. Certains disparaissent pour devenir des **terres** de **culture** ou des terrains à bâtir, d'autres sont abîmés par la **pollution**. Lorsque nous détruisons les habitats de cette manière, nous ne nuisons pas seulement aux **végétaux** et aux animaux avec lesquels nous partageons la Terre, nous perdons aussi les choses importantes que ceux-ci nous apportent.

Source : T. Hare et C. Leplae-Couwez, *Le monde qui nous entoure – Les habitats en voie de disparition*, p. 3. Éditions Gamma/Héritage.

Trouvez, à l'aide de votre dictionnaire, un ou des mots de la même famille que chacun des mots en gras. Attention! Dans ce texte, certains mots sont des mots de base; d'autres, des mots dérivés.

Je comprends

La famille de mots

Une famille de mots est un groupe de mots formés à partir d'un même mot de base. Les mots de même famille doivent avoir une parenté de sens.

Une famille de mots est donc constituée d'un mot de base (ex.: *jardin*) et de mots dérivés (ex.: *jardiner, jardinage, jardinier, jardinière*).

Dans certains dictionnaires, on regroupe les mots de même famille. On place les mots dérivés à la suite du mot de base.

Le préfixe ou le suffixe s'ajoute au mot pour en former un nouveau. Le préfixe est placé avant le mot; le suffixe est placé après le mot.

Pour former des mots de même famille, on peut:
• ajouter un **préfixe** au mot de base (ex.: *mal*propre);
• ajouter un **suffixe** au mot de base (ex.: propre*té*).

Au printemps, plusieurs personnes décident d'aménager leur terrain : elles plantent des fleurs, taillent des arbres... Dans le conte suivant, le jardinier Mouk Tchouk a, lui aussi, un important projet d'aménagement à proposer au roi Pépin. Quel est ce projet ? Lis ce conte pour le savoir. Porte une attention particulière aux motivations du jardinier et aux réactions du roi et de la princesse par rapport à ce projet.

La fête est à l'eau

Il y a bien loin d'ici un petit pays paisible, gouverné par le bon roi Pépin. Derrière le château du roi, se trouve un petit lac bordé d'arbres. La jeune princesse Clémentine aime beaucoup jouer sur la rive et rendre visite aux animaux qui l'habitent.

Elle s'invente des aventures où les grenouilles se transforment en lutins, le héron en dragon, et le raton laveur en bandit masqué.

Un jour, les soldats du roi font un grand ménage dans les jardins du château. Ils tondent la pelouse, taillent les arbustes, ratissent les allées.

Tout en surveillant les travaux, le jardinier en chef, Mouk Tchouk, discute avec le roi. Pour s'amuser, Clémentine se cache derrière un arbre et les espionne.

« Sire, dit Mouk Tchouk, on pourrait aussi nettoyer les abords du lac. Les broussailles gênent la vue. Et puis le rivage est envahi par les roseaux.

Pourquoi ne pas construire une belle terrasse avec une statue de votre Majesté?»

«Hmm... dit le roi, flatté, une statue de moi? Quelle bonne idée!»

Clémentine a tout entendu. Vite, elle sort de sa cachette.

«Sire Papa, c'est mon terrain de jeu! Et puis, il y a des animaux qui habitent là. Il ne faut pas les déranger!»

«Ne fais pas toute une histoire pour quelques grenouilles, Clémentine. Si tu veux, je vais demander aux soldats de capturer les animaux pour te faire un petit zoo.»

Sur les directives de Mouk Tchouk, les soldats fauchent toutes les plantes aquatiques qui bordent la rive. Ils abattent aussi beaucoup d'arbres et d'arbustes pour dégager la vue et faciliter la promenade.

En même temps, ils attrapent les animaux dans des pièges ou des grands filets. Mammifères, oiseaux, reptiles et amphibiens sont mis en cage, puis exposés près du château. Clémentine s'empresse d'aller examiner toute cette ménagerie.

Ensuite, les soldats transportent de la terre et des pierres, et construisent une grande terrasse qui s'avance dans le lac. Ils sèment du gazon et plantent des fleurs. La statue du roi trône au milieu de la terrasse.

Le roi Pépin est très fier de cet aménagement. Il décide d'organiser une grande réception en plein air pour faire admirer son œuvre par tous les nobles de son royaume.

Or, dans les jours qui précèdent la réception, la belle eau claire du lac devient toute verte.

«Beurk! s'exclame le roi. Que se passe-t-il? On dirait que les algues poussent plus vite qu'avant!»

Source: Jean-Pierre Guillet, *La fête est à l'eau* (ill.: Gilles Tibo), p. 2-10. © Éditions Michel Quintin (coll. Contes écologiques), 1993.

Retour sur la lecture

1. En grand groupe, tentez de répondre aux questions suivantes:

a) Quel est le projet du jardinier?

b) Quels sont les arguments qu'il utilise pour convaincre le roi?

c) Clémentine est-elle d'accord avec ce projet de nettoyage? Pourquoi?

d) Selon toi, pourquoi l'eau du lac devient-elle verte et remplie d'algues?

L'opinion des personnages et la vôtre

2. Placez-vous maintenant en équipe de deux. Remplissez le tableau qu'on vous remettra pour mieux comprendre les enjeux de cette histoire.

Servez-vous de ce tableau pour inventer une suite à l'histoire, que vous présenterez oralement à la classe.

3. Individuellement, écrivez dans votre carnet de lecture un commentaire sur cette histoire.

N'oublie pas de bien noter la source dans ton carnet. Tu pourrais ainsi emprunter ce conte à la bibliothèque et le lire au complet.

Clés en main

L'accord du verbe : le groupe du nom sujet

1. Lis le poème suivant. Observe les mots en gras. Imagine ce qui se passe.

> ## Le gardien du phare aime trop les oiseaux
>
> Des oiseaux par milliers **volent** vers les feux
> par milliers ils **tombent** par milliers ils se **cognent**
> par milliers aveuglés par milliers assommés
> par milliers ils **meurent**
>
> Le gardien ne peut supporter des choses pareilles
> les oiseaux il les aime trop [...]

Source : Jacques Prévert, *Histoires*. © Éditions Gallimard.

Place-toi ensuite en équipe de deux pour faire le travail suivant.

a) Les mots en gras font partie de quelle classe de mots ?

b) Quelles stratégies avez-vous utilisées pour identifier ces mots ?

2. Observez les verbes dans les phrases suivantes.

Le gardien <u>aime</u> les oiseaux.	Un oiseau <u>vole</u> vers les feux.
Les gardiens <u>aiment</u> les oiseaux.	Des oiseaux <u>volent</u> vers les feux.

a) Est-ce que ces verbes se terminent tous de la même façon ?

b) Comment appelle-t-on la partie du verbe qui a changé d'une phrase à l'autre ?

c) Comment appelle-t-on le groupe de mots qui fait changer la terminaison d'un verbe ? Comparez votre réponse à la définition donnée dans la rubrique *Je comprends*. Corrigez-la au besoin.

3. Pour savoir comment écrire la terminaison d'un verbe, il faut trouver le sujet, puis accorder le verbe avec son sujet. Comment faire pour reconnaître le groupe du nom qui est sujet ?

a) Observez les phrases suivantes:

Le gardien <u>aime</u> les oiseaux. ►C'est le gardien qui <u>aime</u> les oiseaux.

Des oiseaux <u>volent</u> vers les feux.►Ce sont des oiseaux qui <u>volent</u> vers les feux.

Quels mots ont été ajoutés pour encadrer les groupes du nom qui sont sujets des verbes soulignés?

b) Observez maintenant les phrases suivantes:

| Le gardien <u>aime</u> les oiseaux. | Des oiseaux <u>volent</u> vers les feux. |
| Il   <u>aime</u> les oiseaux. | Ils   <u>volent</u> vers les feux. |

Par quels mots a-t-on remplacé les groupes du nom qui sont sujets des verbes soulignés?

c) À partir de ce que vous avez observé, quelles sont les deux stratégies à utiliser pour reconnaître le groupe du nom sujet? Comparez votre réponse à la définition donnée dans la rubrique *Je comprends*. Corrigez-la au besoin.

Je comprends | **L'accord du verbe: le groupe du nom sujet**
Pour accorder un verbe, il faut repérer le sujet, car c'est lui qui influence la terminaison du verbe. Le sujet peut être un pronom ou un groupe du nom. Pour savoir si un groupe du nom est sujet:
• essaie d'encadrer ce groupe du nom par *c'est... qui* (ou *ce sont... qui*);
• essaie de remplacer ce groupe du nom par le pronom *il, ils, elle* ou *elles*.

Ex.:   Le gardien   aime les oiseaux.
   C'est le gardien **qui**   aime les oiseaux.
       Il   aime les oiseaux.

       Ces personnes   aiment les oiseaux.
   Ce sont ces personnes **qui**   aiment les oiseaux.
       Elles   aiment les oiseaux.

Dans le texte «La fibre du recyclage» (p. 59-60), tu as lu de l'information sur le recyclage du papier. Dans le texte ci-dessous, tu apprendras comment on recycle le plastique.

Placez-vous d'abord en équipe de deux. Observez les illustrations. On y présente une façon de recycler le plastique. La plupart des textes qui accompagnaient chaque illustration ont été enlevés et placés à la page 70. Vous devez jumeler chaque texte à l'illustration correspondante. Utilisez la feuille qu'on vous remettra.

De la bouteille en plastique au chandail polaire

Le recyclage, c'est merveilleux! Peut-on assez étirer une vieille bouteille en plastique pour en faire un joli chandail polaire? C'est pas vraiment comme ça qu'on fait, mais presque...

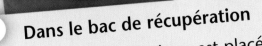

1 Dans le bac de récupération

La bouteille en plastique est placée dans une poubelle ou un bac de récupération qui contient tous les emballages de plastique recyclables.

À l'atelier de couture

Le tissu polaire est découpé et cousu pour en faire des vêtements. C'est ainsi qu'on fabrique de jolis chandails polaires.

9

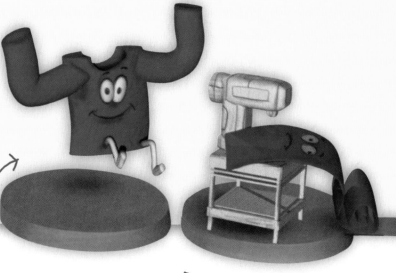

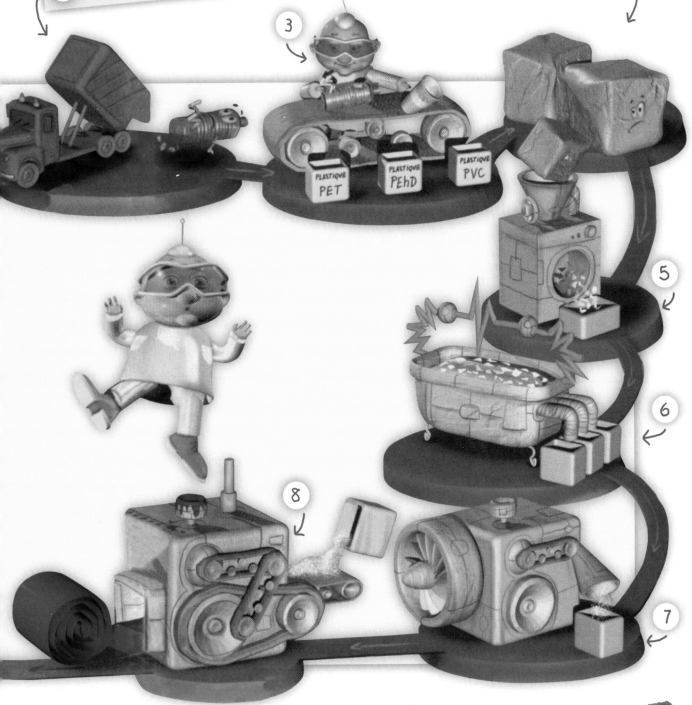

En route vers le centre de tri

La bouteille se retrouve dans le camion qui récupère les matières recyclables: c'est le camion de la collecte sélective. Elle est transportée au centre de tri.

2

3

Drôle de balle !

La bouteille est compressée avec des milliers d'autres emballages faits du même plastique. Elle se retrouve ainsi dans une énorme balle.

4

PLASTIQUE PET

PLASTIQUE PEhD

PLASTIQUE PVC

5

6

8

7

Le bain de nettoyage

Pour enlever les restes d'étiquettes ou de colle, on passe les morceaux de plastique dans un bain. On vérifie de nouveau si tout le plastique qui se trouve dans le bain est de même type grâce à un champ électrique.

Au centre de tri

La bouteille est triée en fonction du type de plastique qu'elle contient.

Le broyeur

La balle dans laquelle se trouve la bouteille est envoyée dans le broyeur. Elle est décomposée en milliers de morceaux de plastique et envoyée au nettoyage.

À l'usine de tissu polaire

À l'usine, la poudre est fondue et transformée en longs filaments. Ceux-ci sont tissés pour créer le tissu polaire.

Le séchoir à plastique

Les morceaux de plastique sont séchés et réduits en une sorte de poudre de plastique.

Source: Illustrations de Matthieu Roussel tirées d'*Images Doc*, n° 137, mai 2000, p. 6-7. © Bayard Jeunesse.

À vos plumes

Deviens journaliste...

Tu as lu deux articles de magazines : «La fibre du recyclage» (p. 59-60) et «De la bouteille en plastique au chandail polaire» (p. 68-70). Tu vas maintenant toi-même rédiger un court article pour des élèves du premier cycle en t'inspirant de ces modèles. Tu y expliqueras comment et pourquoi nous devons produire moins de déchets alimentaires.

Pour trouver des idées, lis d'abord le texte suivant. Suis ensuite la démarche qu'on te proposera.

Le traitement des déchets

Les déchets alimentaires

Les ordures jonchant le sol des villes et des campagnes sont souvent des emballages d'aliments : papiers de bonbon, cannettes de boisson en métal, barquettes en plastique, bouteilles en verre. On jette aussi des restes de sandwiches, des pelures de fruits. Les détritus alimentaires attirent les mouches, les rats et même parfois les renards.

Il est facile pour les animaux de trouver des détritus alimentaires dans les ordures.

Dans les rues, les détritus alimentaires représentent un danger : quelqu'un peut marcher dessus et glisser. Il est préférable d'envelopper tes déchets alimentaires avant de les jeter. Lors d'un pique-nique à la campagne, prends soin de ramasser tous tes déchets dans un sac pour les mettre dans une poubelle.

Les déchets de végétaux

Tu pèles les oranges et les bananes avant de les manger, mais il n'en est pas de même pour tous les fruits. Les pommes et les fraises font très peu de déchets ; il te suffit de les laver pour les nettoyer. Certains légumes ne s'épluchent pas : les pommes de terre et les carottes contiennent des vitamines dans la peau ; on les frotte simplement dans l'eau.

Les pommes font de bonnes collations.

Nous ne devons pas jeter tous les déchets de fruits et de légumes, car certains sont réutilisables. Des pelures de fruits donnent des confitures et des jus. Des épluchures de légumes font de bonnes soupes.

Si tu as un jardin, recycle les déchets végétaux pour faire du compost. Tu les mets dans un bac où les vers et les bactéries vont les décomposer. Tu obtiens alors du compost pour enrichir la terre afin que les plantes poussent mieux.

Les déchets de viande

Les déchets de viande et de poisson ne peuvent être jetés dans un bac à compost. Ils sentent très vite mauvais et attirent les mouches. Les chats et les chiens seraient malades s'ils les mangeaient.

72

Quelques restes de viande et de poisson sont réutilisables. On peut en faire des pâtés, ou utiliser les os et les arêtes pour des soupes.

Moins de déchets

Près de 35 % de nos ordures ménagères sont des déchets alimentaires. Dans certains pays les déchets sont brûlés dans des incinérateurs. Il n'en subsiste alors que 10 % sous forme de cendres. Ces cendres sont réutilisées pour faire des routes. La chaleur dégagée par l'incinération des déchets permet de chauffer des immeubles ou de produire de l'électricité.

Il est important de ne pas gaspiller la nourriture. Certains achètent trop d'aliments à l'avance; ils doivent en jeter, car ils deviennent périmés. D'autres cuisinent plus qu'ils ne peuvent consommer et sont obligés de se débarrasser des restes.

La mouche bleue pond ses œufs sur de la viande. Quand les œufs éclosent, les larves trouvent ainsi tout de suite à manger.

Ton assiette ne doit pas contenir plus de nourriture que tu peux en manger. Mieux vaut te servir à nouveau que de laisser des restes qui seront jetés.

Source: Texte tiré de *Le traitement des déchets – Les aliments*, p. 14-19, 26-27. © Éditions Gamma, 1998.

Placez-vous en équipe de deux. Relisez le texte. Cherchez le sens des mots en couleur et des autres mots dont vous doutez du sens. Lorsque vous aurez bien compris le texte, vous pourrez commencer à rédiger votre fiche.

Je planifie

Trouvez, sélectionnez et organisez l'information que vous trouvez intéressante en vous aidant de l'organisateur qu'on vous remettra.

Je rédige

À partir des renseignements que vous avez sélectionnés, composez quelques phrases pour chacun des intertitres. Vous devez écrire ces renseignements dans vos mots, sans copier. N'oubliez pas que vous rédigez cet article pour des élèves du premier cycle. Il faut utiliser des mots simples et précis.

Je révise et je corrige

- Relisez votre texte. L'information est-elle claire? Est-ce que les renseignements se suivent logiquement? Lorsque vous êtes satisfaits de vos idées, donnez un titre attirant à votre article.
- Vérifiez ensuite l'orthographe des mots, faites les accords dans le groupe du nom et accordez chaque verbe avec son sujet. Retournez à la page 67 de votre manuel pour revoir les règles d'accord du verbe avec le groupe du nom sujet.

Je mets au propre

Individuellement, réfléchissez à la mise en pages de votre article. Écrirez-vous votre texte à la main ou à l'ordinateur?
Mettez votre texte au propre. Ajoutez les illustrations (dessins, collages ou autres). Relisez attentivement la version finale.

Je présente et je m'évalue

Présentez votre article aux élèves de votre classe, puis à ceux du premier cycle. Placez-le ensuite dans votre portfolio. Remplissez la feuille d'autoévaluation qu'on vous remettra.

Le futur proche

Mes mots

Noms	Adjectifs	Verbes	Mots invariables
une **aile**	animal	aller	bien
un **animal**	animale	défaire	donc
son **chat**	batailleur	faire	par
sa **chatte**	batailleuse	laver	plus
votre **cheval**	défait	pardonner	quand
ce **chevalier**	défaite	refaire	tard
un **coq**	invisible	repasser	très
votre **défaite**	normal	suivre	voici
une **grenouille**	normale	tuer	voilà
notre **jument**	rare		
ce **merle**	redoutable		
le **moineau**	sauvage		
la **mouche**			
un **nid**			
un **pas**			
le **poussin**			
au **zoo**			

Mes verbes conjugués

	ALLER			FAIRE	
	INDICATIF PRÉSENT			**INDICATIF PRÉSENT**	
Personne	Radical	Terminaison	Personne	Radical	Terminaison
je	vai	**s**	je	fai	**s**
tu	va	**s**	tu	fai	**s**
il/elle	va		il/elle	fai	**t**
nous	all	**ons**	nous	fais	**ons**
vous	all	**ez**	vous	fait	**es**
ils/elles	von	**t**	ils/elles	fon	**t**

1. a) Observe la conjugaison du verbe *aller*. Quelles difficultés constates-tu?

b) Observe la conjugaison du verbe *faire*. Quelles difficultés constates-tu?

2. Le verbe *aller* à l'indicatif présent est très souvent utilisé pour former un autre temps. Lis le texte de la rubrique *Je comprends* à la page suivante pour savoir quel est ce temps.

Compose un court texte d'environ trois phrases. Utilise des verbes du tableau *Mes mots* (p. 75) et mets-les au futur proche. Inspire-toi du thème de l'environnement. Commence ton texte par les mots suivants : « À partir de maintenant... »

Je comprends

Le futur proche
L'indicatif présent du verbe *aller* sert à former le futur proche.
Le futur proche exprime généralement une action qui se réalisera bientôt.
Ex.: Bientôt, je **vais aller** au marché.
      Ils **vont suivre** la route.

3. a) Mets au pluriel tous les noms du tableau *Mes mots*. Classe-les ensuite dans un tableau semblable à celui-ci.

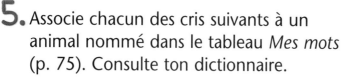

Règle générale : ajout d'un *s*	des ailes,
Ajout d'un *x* au nom singulier	
Changement de *-al* en *-aux*	
Aucun changement	des pas,

La plupart des noms et des adjectifs terminés par *-al* au singulier font *-aux* au pluriel.

b) Ajoute quelques noms à ce tableau.

4. Trouve quelques mots de même famille dans le tableau *Mes mots*.

5. Associe chacun des cris suivants à un animal nommé dans le tableau *Mes mots* (p. 75). Consulte ton dictionnaire.

a) le chant ;

b) le bourdonnement ;

c) le miaulement ;

d) le hennissement ;

e) le sifflement ;

f) le piaillement ;

g) le pépiement ;

h) le coassement.

La culture, c'est comme les confitures...

Salut Sarah,

Tu te rappelles, pour ma fête, tante Léa m'avait offert un abonnement à un magazine. Au départ, j'étais plus ou moins enchanté. C'était gentil de sa part de penser à moi... mais, tu sais, moi et la lecture...

Eh bien! Laisse-moi te dire que j'ai changé d'opinion! Je reçois un nouveau numéro (donc un nouveau cadeau!) chaque mois et les magazines sont passionnants! J'y ai découvert de l'information sur toutes sortes de sujets. Dans le numéro du mois passé, on trouvait un reportage sur les dinosaures (tu connais ma passion!). Ce mois-ci, il y a un dossier sur les grands reporters qui ont marqué l'histoire.

Je te laisse: je retourne à mon magazine! Tu sais, les magazines, c'est comme la confiture: une fois que tu y as goûté, tu ne peux plus t'en passer!

À vendredi!

Félix

P.-S. Tintin est reporter, Gaston Lagaffe travaille dans un journal, Spirou et Superman sont journalistes, Yoko Tsuno fait des reportages... La vie des jeunes est marquée par les journalistes ou les reporters. Et la nôtre, encore davantage, n'est-ce pas?

À l'école, mon enseignante nous a demandé de présenter un métier qui nous passionne. J'ai décidé de faire une entrevue avec ma mère, une journaliste... passionnée!

 Bonjour Madame (je ne peux quand même pas dire «maman»...). Parlez-moi d'abord un peu de ce qui vous a amenée à devenir journaliste.

 Je pense que j'ai toujours voulu être journaliste. À l'école, déjà, je participais à la rédaction du journal de classe. J'adorais poser des questions, faire des recherches, apprendre toutes sortes de choses! Plus tard, j'ai compris que j'aimais aussi écrire.

 Parlez-moi maintenant un peu de votre métier de journaliste.

 Il y a plusieurs sortes de journalistes (ceux qui écrivent pour les journaux, les magazines, ceux que l'on entend à la radio, ceux qui paraissent à la télé...) et notre travail dépend beaucoup de notre spécialisation. Moi, par exemple, j'écris pour un magazine. Je dois donc écrire mon article et m'assurer de la qualité de l'information. Il est très important de rapporter des faits qui sont vrais.

 Quelles qualités essentielles doit-on posséder pour pratiquer ce métier?

 Hum!... Je crois que la qualité la plus importante est la curiosité. En effet, il faut avoir le goût de découvrir des tas de nouvelles choses. Je pense aussi qu'il faut savoir bien écrire. Il n'est pas suffisant d'avoir quelque chose d'intéressant à raconter; il faut aussi savoir comment le décrire ou le raconter de façon à ce que les lecteurs soient intéressés!

 Eh bien! Merci... Madame. Je crois que nous comprenons maintenant un peu mieux votre travail!

Au bureau de ma mère, j'ai aussi pu rencontrer Michel Clément, un spécialiste des livres et des magazines jeunesse. J'en ai profité pour en apprendre davantage sur les magazines.

«Les jeunes aiment lire les magazines. Ces publications sont bien différentes des livres. Très diversifiés dans leurs thématiques, les magazines utilisent l'écrit pour saisir un sujet, mais aussi plusieurs outils technologiques. De plus, par rapport au roman qui s'écrit seul, un article de magazine se crée souvent en équipe: reporter ou journaliste, photographe, infographiste, illustrateur ou illustratrice... La façon de présenter l'information est souvent aussi importante que l'information elle-même.

«Comme on le fait, par exemple, pour les romans et les albums, on peut dire que certains magazines sont de meilleure qualité: mieux présentés, mieux écrits, mieux documentés, etc. Plusieurs magazines contiennent par ailleurs des rubriques dans lesquelles des journalistes ont pour tâche de commenter les nouvelles parutions de livres ou de magazines. On attribue ainsi des notes à ces parutions en fonction de leur qualité. Il y a même des concours qui sont organisés pour récompenser les auteurs ou auteures d'articles ou de romans de grande qualité.

«De toute façon, que ce soit avec les livres ou les magazines, l'important est de faire naître ou d'entretenir le goût de lire. Le goût de lire, c'est aussi le goût des autres, ces personnages fictifs et familiers à travers lesquels on s'apprivoise les uns les autres.»

Joseph Kessel, un célèbre auteur français, a découvert sa passion pour l'écriture en faisant des reportages. Dans son roman *Le Lion*, il nous fait découvrir l'Afrique à travers les yeux d'un journaliste qui se lie d'amitié avec une petite fille et son gentil... lion!

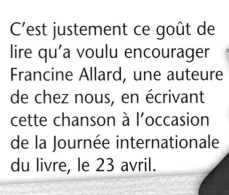

C'est justement ce goût de lire qu'a voulu encourager Francine Allard, une auteure de chez nous, en écrivant cette chanson à l'occasion de la Journée internationale du livre, le 23 avril.

Chanson pour un petit lecteur

Des histoires qui vagabondent
Dans des têtes rousses ou blondes
Des histoires qui vagabondent
Dans des têtes noires ou brunes

Refrain :
Dans ta tête rousse ou blonde
Nos histoires vagabondent
Dans ta tête noire ou brune
Tu peux danser sur la Lune

Alors, de très grands personnages
Et des petits aussi
Pas toujours très sages
Qui rôdent même la nuit
Des fées, des chats, des gnomes
Des lutins et des fantômes
Et des garçons téméraires
Et de petites, toutes petites sorcières

Et puis des livres qui galopent
Comme des chevaux sauvages
Des romans qui sanglotent
Ou rient à pleines pages
Des histoires à pleurer
Des contes à rigoler
De vieilles dames qui consolent
Et des monstres qui s'envolent

Alors, des petits bouts de tendresse
Quand tu as le goût de pleurer
Des fleurs qui se dressent

Dans ton jardin secret
Nous sommes les magiciens
Du monde des merveilles
Écoute, écoute bien
Les mots dans ton oreille

Pour toi des petits mots
Pour toi des petits gestes
Tracés en bas en haut
Des pages que l'on dresse
Que l'on dresse comme
    des nappes blanches
Un jour d'anniversaire
Comme des nappes blanches
Couvertes de mystère

Refrain :
Dans ta tête rousse ou blonde
Nos histoires vagabondent
Dans ta tête noire ou brune
Tu peux danser sur la Lune
Tu sais quoi
Parce que Pierrot a retrouvé sa plume
Bonne nuit Pierrot
Chut...
Laissons-le aller écrire

Source : Auteure : Francine Allard ; compositeur : Claude Léveillée. © Éditions de l'Aube, représentées par ZIK (Groupe Éditorial).

Je lis, tu lis, nous lisons...

Il faut apprendre à connaître la nature pour mieux la respecter et s'informer régulièrement pour comprendre ce qui se passe près de nous et ailleurs dans le monde. Dans les articles suivants, on traite de différents problèmes reliés à l'environnement. Observe les titres, les intertitres et les illustrations afin d'arrêter ton choix sur l'un de ces articles. Lis ensuite cet article. Relève les renseignements importants et les mots clés. Tu devras ensuite présenter ces renseignements aux élèves de ta classe.

Des écoliers qui plantaient des arbres

Reverdir Haïti, une cause perdue? Pas pour les 500 écoliers haïtiens qui sont venus, aujourd'hui, reboiser les terres avec les paysans de Bellevue, un village situé au sud de la capitale, Port-au-Prince.

L'objectif de la journée: planter 500 arbres et réhabiliter un étang utilisé jusqu'ici comme décharge. Tout un programme! L'opération de reboisement est organisée par le Réseau des écoles vertes et une association écologique de la localité.

Les corps ruisselant de sueur, les jeunes s'exécutent dans la bonne humeur. Mais ils sont un peu

découragés: «Les montagnes sont complètement déboisées, les plaines ressemblent à des déserts!», déplore Jonas Pierre, 17 ans.

«Faut pas désespérer, réplique Gesnel Auguste, un agriculteur. La plantation d'arbres nous a beaucoup aidés.» Comment? Les racines des arbres maintiennent le sol en place, retiennent l'eau et freinent l'érosion. Résultat? Ça pousse mieux! Depuis cinq ans, la production de maïs, de haricots et de bananes a doublé!

Des écoles vertes

Les activités du Réseau des écoles vertes vont du reboisement à l'assainissement des villes en passant par le recyclage des déchets. La transformation des déchets organiques en compost, par exemple, permet d'engraisser le sol.

Trente-cinq écoles et cinq groupements paysans sont membres de ce Réseau. Le Réseau a été créé en Haïti en 1997 avec l'appui de la Société pour le reboisement d'Haïti du Canada, l'Association culturelle haïtiano-dominicaine et l'Unesco (Organisation des Nations Unies pour l'éducation, la science et la culture).

Du papier canadien pour les élèves cubains

À Cuba, les livres et le papier sont une denrée rare. C'était donc tout naturel que notre pays – un grand producteur de papier – donne un coup de pouce à cette île des Caraïbes. Au total, 3 000 tonnes de papier ont été expédiées à Cuba pour imprimer la moitié de tous les manuels scolaires de l'État en une année!

Les Cubains ont maintenant des manuels, des blocs-notes et des cahiers... Et ils peuvent se concentrer sur leurs études!

Source: Texte de Johanne Lauzon, Agence de Presse Syfia.
© *Les Débrouillards*, février 2001, p. 28.

C'est quoi, l'effet de serre?

Quand les rayons du soleil entrent dans une serre, ils sont gardés prisonniers sous les vitres. Alors, dans la serre, il fait vraiment très chaud. De la même façon, certains gaz enveloppent la Terre et retiennent les rayons du soleil près du sol: c'est «l'effet de serre». Sans eux, il ferait trop froid pour vivre.

Au secours! La planète se réchauffe!

Depuis quinze ans environ, on remarque qu'il fait un peu plus chaud partout dans le monde, été comme hiver: 2 à 3,5 degrés de plus en moyenne. Si les frileux sont contents, les scientifiques, eux, sont très inquiets.

Pourquoi la Terre se réchauffe-t-elle?

Les gaz qui enveloppent la Terre sont de plus en plus nombreux: les industries, les voitures et les fumées de toutes sortes polluent l'atmosphère. Prisonniers de ces gaz, les rayons du soleil réchauffent le sol plus qu'il ne le faudrait. L'effet de serre, nécessaire pour vivre, est devenu trop fort.

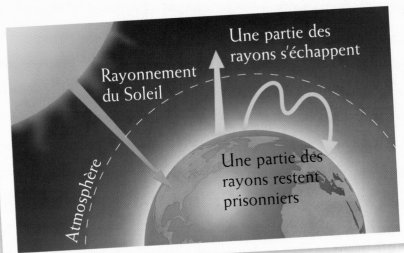

Une partie des rayons s'échappent

Rayonnement du Soleil

Une partie des rayons restent prisonniers

Atmosphère

Effet de serre naturel
L'atmosphère retient naturellement certains rayons du soleil. C'est l'effet de serre. Cela permet à la Terre d'avoir une température moyenne de 15 °C.

Quelles sont les conséquences de ce réchauffement?

Les climats terrestres sont en train de se dérégler. Tous les phénomènes climatiques sont accentués. En Asie, de violents incendies ont ravagé les îles d'Indonésie en 1998. En Amérique, des inondations, des tornades ont tué des gens; des tempêtes ont saccagé des régions entières.

Pourquoi ce réchauffement est-il grave?

Si on ne fait rien, la sécheresse va s'accroître dans les régions sèches et le désert va s'étendre. Les inondations seront plus importantes dans les régions humides, les cyclones feront plus de dégâts. Les glaciers ont commencé à fondre, le niveau des océans va monter. La végétation va changer et faire disparaître certaines espèces animales.

Que peut-on faire?

Il faudrait réduire la quantité de gaz qui s'échappe dans l'atmosphère. Les pays de l'Union européenne et le Canada s'y sont engagés. Les États-Unis et le Japon un peu aussi. Mais de grands pays polluants comme la Chine ou la Russie ont décidé de ne rien faire du tout. Il faut espérer que les scientifiques finiront par convaincre tous les gouvernements d'agir.

Rayonnement du Soleil

De moins en moins de rayons s'échappent

De plus en plus de rayons restent prisonniers

Atmosphère

Effet de serre industriel

Depuis une centaine d'années, les êtres humains construisent des véhicules et des usines qui émettent des gaz. Ces gaz font augmenter l'effet de serre. Par conséquent, la Terre se réchauffe.

Source: *Astrapi*, n° 462, 15 au 30 avril 1998, p. 33-35. © Bayard Presse.
(Texte: Stéphane Janicot; ill. originales: Zau.)

Planète bleue en danger

En mars 2000, 130 pays se sont réunis pour parler de l'avenir de l'eau. Gaspillage, inégalités, pénurie... l'heure est grave et il faut agir vite ! Des solutions existent, si on y met le prix...

La planète n'en manque pas, et pourtant c'est un trésor inestimable. On l'appelle « or bleu » et pour elle, certains hommes se font la guerre [...]. Qu'est-ce que c'est ? L'eau, bien sûr, qui couvre les deux tiers du globe. Mais sur cette quantité, il y a 98 % d'eau salée. Le reste ? Il est surtout dans les glaces des pôles. De sorte qu'au total, l'homme ne peut utiliser qu'un litre d'eau sur mille. D'ici peu, il sera impossible de s'en contenter.

En 2025, sur 8 milliards de Terriens, 3 milliards n'auront pas assez d'eau...

Déjà aujourd'hui, un humain sur cinq n'a pas d'eau potable. Les réserves utilisables sont mal réparties : quand un Américain a mille litres d'eau, un Jordanien n'en a que 26... Or, l'eau ne sert pas seulement à être bue. Elle est nécessaire pour se développer. Elle alimente

▲ C'est le reflet du ciel qui donne son bleu à la mer. Le bleu provient aussi des rayons du soleil : en frappant l'eau, ils se décomposent en différentes couleurs. Seul le bleu pénètre profondément.

l'industrie, elle arrose les cultures agricoles. [...] Les responsables de 130 pays se sont réunis en mars 2000 [...]. Tous ont reconnu, dans un texte commun, qu'il était urgent « d'assurer l'accès de tous à suffisamment d'eau potable à un prix raisonnable pour mener une vie saine ». Un « prix raisonnable » même

La planète inégalitaire : les pays pauvres manquent de structures pour acheminer l'eau.

pour les plus pauvres, qui en manquent le plus. Une « vie saine », car aujourd'hui la mauvaise qualité de l'eau provoque toujours des épidémies et des milliers de morts chaque année... [...]

Solution évidente : chasser le gaspillage !

Premier cas : les canalisations souterraines. Dans le monde, beaucoup sont vieilles, mal conçues. Ça fuit ! [...] Autre cas : l'irrigation des champs. Dans certains pays, elle est totalement inefficace. En arrosant aux mauvaises heures, l'eau s'évapore avant de pénétrer dans la terre. En pure perte.

Solution écolo : laver l'eau pour s'en resservir.

L'objectif est de moins puiser dans les ressources. Dans les pays développés, on a les moyens de traiter les eaux usées pour les remettre en circulation. Certaines usines, de plus en plus nombreuses, fonctionnent désormais en « circuit fermé ». Elles utilisent de l'eau pour un nettoyage ou une peinture, par exemple. Puis, elles vont la recycler pour une nouvelle opération de même nature. On peut ainsi se servir d'un litre d'eau jusqu'à six fois, avant de le rejeter dans la nature, nettoyé une dernière fois. Dans les pays qui ne sont pas assez riches pour se payer ces

Les pays riches, eux, l'utilisent en abondance et disposent de stations d'épuration et de recyclage de l'eau. ▶

techniques, l'eau ne sert souvent qu'une seule fois. Il en faut donc beaucoup plus.

Solution «high tech»: faire de l'eau potable avec l'eau de mer.

Cette opération s'appelle le «dessalement» [...]. D'énormes usines font passer de l'eau salée prélevée dans la mer à travers de grosses membranes pour la rendre buvable. Dans certains cas, cette eau est utilisée seulement pour irriguer les champs et dans le secteur industriel. Bien sûr, cette technique représente l'avenir, mais elle demeure encore hors de prix, seulement accessible pour les pays les plus riches.

Solution ingénieuse: déplacer l'eau là où on en a besoin.

En d'autres termes, la prendre là où elle abonde pour la mettre là où elle manque. Quitte à la transporter sur des centaines de kilomètres.

Source: Texte de Jérôme Labeyre, *Okapi*, n° 670, 8 avril 2000, p. 8-9.

Place-toi avec deux ou trois élèves qui ont choisi le même article que toi.

Sur les feuilles qu'on vous remettra, faites les tâches suivantes:

• Écrivez la définition des mots en couleur.

• Remplissez le tableau pour relever les renseignements importants du texte.

• Composez un court texte pour résumer ces renseignements.

• Présentez ce texte au reste du groupe.

Clés en main

Document reproductible
14

Mes mots

Déterminants numéraux	Noms	Adjectifs	Verbes	Mots invariables
un	un centimètre	déçu	calculer	deuxièmement
deux	la date	déçue	commencer	jusqu'à
trois	un décimètre	deuxième	comparer	jusque
quatre	un dollar	reçu	déplacer	troisièmement
cinq	une heure	reçue	marquer	
six	ce jour		placer	
sept	la journée		recevoir	
huit	un kilomètre		recommencer	
neuf	cette leçon		remarquer	
dix	ta ligne		voir	
onze	le mètre			
douze	une minute			
treize	son numéro			
quatorze	ma pièce			
quinze	cette place			
seize	une saison			
vingt	une seconde			
trente	la semaine			
quarante				
cinquante				
soixante				

Mes verbes conjugués

AVOIR			ÊTRE		
PASSÉ COMPOSÉ			PASSÉ COMPOSÉ		
Personne	Auxiliaire	Part. passé	Personne	Auxiliaire	Part. passé
j'	ai	eu	j'	ai	été
tu	as	eu	tu	as	été
il/elle	a	eu	il/elle	a	été
nous	avons	eu	nous	avons	été
vous	avez	eu	vous	avez	été
ils/elles	ont	eu	ils/elles	ont	été

1. Place-toi avec un ou une autre élève pour faire le travail. Observez le tableau *Mes mots*.

   a) Trouvez cinq déterminants numéraux qui se terminent par un *e* muet.

   b) Trouvez-en trois qui se terminent par une lettre muette autre que *e*.

   c) Trouvez-en trois qui ne se terminent pas par une lettre muette.

> Le passé composé exprime un fait passé.
> Pour former le passé composé d'un verbe, il faut utiliser l'auxiliaire **avoir** et le participe passé du verbe.
> Ex.: J'ai aimé.

2. Formez un adjectif avec chacun des déterminants suivants :

   a) deux, trois et cinq ;   b) quatre, onze et douze ;   c) neuf.

3. À la lumière des réponses trouvées au numéro 2, donnez les différentes façons de former un adjectif à partir d'un déterminant numéral.

4. a) Trouvez tous les mots du tableau *Mes mots* qui contiennent un *c* ou un *ç*. Classez-les dans un tableau semblable à celui-ci.

c se prononce [k]	*c* se prononce [s]	*ç*
calculer	décimètre	leçon

   b) Devant quelles voyelles la lettre *c* se prononce-t-elle [k] ?

   c) Devant quelles voyelles la lettre *c* se prononce-t-elle [s] ?

   d) Devant quelles voyelles retrouve-t-on la lettre *ç* ?

5. a) Composez une phrase avec le verbe *avoir* au passé composé.

   b) Composez une phrase avec le verbe *être* au passé composé.

6. Trouvez un homophone pour chacun des mots donnés. Composez ensuite une phrase avec quelques-uns des mots trouvés. Consultez votre dictionnaire pour vous aider.

   a) date ;   c) son ;
   b) on ;   d) sans.

homophones

vin et vingt

Rappelle-toi !
Des homophones, ce sont des mots qui se prononcent de la même façon, qui s'écrivent différemment et qui ont un sens différent.

Situation-problème

Le musée amusant

Dans ce musée amusant,
Tu veux respecter l'environnement.
Les objets utilisés
Tu ne devras pas les acheter
Mais les trouver
Parmi les choses qu'on pourrait jeter.

Eh oui! Dans cette activité, on vous demande de devenir sculpteur ou sculpteure. Vous devrez déployer votre créativité, car il vous faudra réutiliser des matériaux qui font partie de votre quotidien et ainsi contribuer à produire moins de déchets. Recycler, c'est important; créer en recyclant, c'est encore mieux! Et c'est amusant! Placez-vous en équipe de trois ou quatre et suivez la démarche suivante.

À la manière d'Alexander Calder (1898-1976), sculpteur et peintre américain

Exploration

Observez d'abord les sculptures qu'on vous présente. Elles ont été créées à partir d'objets familiers ou d'objets qui s'en allaient... aux poubelles! Lisez les courtes fiches biographiques sur la feuille qu'on vous a remise. Les artistes qu'on vous y présente sont ceux qui ont servi de source d'inspiration pour les œuvres que vous voyez sur cette page.

En vous inspirant des œuvres d'un ou d'une artiste de votre choix, vous devrez trouver des matériaux de recyclage et créer votre propre sculpture. Elle devra évoquer un animal: un animal imaginaire, un animal mythologique, un animal qui existe, un animal composé des parties de trois ou quatre animaux, etc. Laissez aller votre imagination! Vous devrez ensuite rédiger une fiche pour expliquer votre sculpture. Finalement, vous présenterez votre création à votre classe.

À la manière d'Alberto Giacometti (1901-1966), sculpteur et peintre suisse

Planification

Planifiez maintenant votre travail. Pour ce faire, utilisez la feuille qu'on vous remettra pour répondre aux questions suivantes.

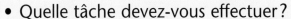

- Quelle tâche devez-vous effectuer?
- Quelles sont les principales étapes à franchir?
- De quoi aurez-vous besoin? Quels matériaux recyclés utiliserez-vous?
- Quel sera le rôle de chacun et chacune: animateur ou animatrice, planificateur ou planificatrice, secrétaire, porte-parole?
- De quel artiste vous inspirerez-vous? Calder, Giacometti ou quelqu'un d'autre?

Réalisation

Cette partie comprend deux étapes: la fabrication de votre sculpture (A) et la rédaction de votre fiche (B).

A. Faites d'abord un croquis de votre projet de création. Construisez ensuite votre sculpture en vous inspirant de ce croquis et de votre feuille de planification.

B. Suivez la démarche proposée sur la feuille qu'on vous remettra pour rédiger votre fiche.

Communication

Préparez votre porte-parole à présenter votre sculpture. Posez-lui des questions. Essayez de vous mettre à la place des autres élèves. Vérifiez si l'intonation et le volume de la voix sont adéquats. Lors de la présentation, encouragez votre porte-parole par des regards, par des sourires.

Examinez bien les sculptures de tous vos camarades. Tous les animaux que vous avez créés n'auraient pas existé sans le recyclage. Recycler, c'est aider et faire revivre la nature! L'art est une façon de réinventer la vie. Trouvez d'autres actions que vous pouvez accomplir pour aider la nature à revivre chaque jour.

Évaluation

Individuellement, remplissez la grille d'autoévaluation qu'on vous remettra.

Conservez cette feuille dans votre portfolio et, si c'est possible, placez-y aussi une photo de votre sculpture.

Gilles Vigneault, poète et chansonnier québécois, se préoccupe, lui aussi, de la protection de l'environnement. Il a écrit un conte autour d'un problème relié à l'environnement. Lis l'extrait suivant et essaie de découvrir quel est ce problème et quelle en serait la solution. Repère ensuite les différents lieux où se déroule l'action et imagine l'environnement dans lequel vivent Gaya et son grand-père.

Gaya et le Petit Désert

Une fois, c'était une petite fille de ton âge qui restait toute seule avec son grand-père sur une petite montagne comme ça... ici, dans une maison qu'ils appelaient «l'Orée».

Elle s'appelait Gaya et son grand-père se nommait Androu.

Un matin d'automne, Gaya descendit la colline qui menait au Petit Désert, c'était comme ici. Ils appelaient ça «le Petit Désert» parce que le grand-père, le bonhomme Androu, avait tout coupé ce qui restait d'arbres ou d'arbustes par là, d'abord pour chauffer son poêle en hiver, puis pour avoir une vue plus étendue sur l'ensemble de la clairière.

Au milieu du Petit Désert, il y avait un petit puits où, depuis qu'elle était toute petite, son grand-père l'envoyait chercher de l'eau. Ce matin d'automne, donc, elle allait au puits avec son seau... mais s'en revint sans eau.

– Grand-père, le puits n'a plus d'eau, dit-elle en montrant le seau vide.

Mais le bonhomme Androu se mit à rire :

– Je vais y aller, moi, et je vais en trouver de l'eau. Reste ici.

Il descendit à son tour et fut surpris de ne réussir à puiser qu'à peine assez d'eau pour faire le thé. «C'est curieux ça, il a pourtant plu comme d'habitude en août. Ah... c'est probablement à cause de la lune... et puis il va repleuvoir.»

Il retourna deux fois au puits ce jour-là, puis décida qu'il n'y avait qu'à attendre et que le temps arrange tout. Quand il fut parti voir à ses pièges, la petite Gaya se retrouva toute seule dans la maison et se prit à réfléchir au problème.

«La solution est peut-être dans le gros livre.»

Il faut dire que le bonhomme Androu avait conservé d'une autre époque de son existence un vieil almanach très épais dans lequel la petite Gaya trouvait toutes sortes de choses à apprendre et qu'elle ne se lassait jamais de consulter.

Elle ouvrit au hasard et lut en haut de la page 343 la sentence suivante : «Les humains ont tendance à se croire seuls capables de donner des conseils sur les choses de la vie. Ils devraient consulter plus souvent les animaux, les arbres même, la vie qui les entoure.»

Gaya réfléchit longuement et finit par décider d'aller au bout de la Première Clairière consulter le Gros Chêne, un arbre énorme, plusieurs fois centenaire, avait dit son grand-père qui l'avait épargné autant parce qu'il aurait eu du mal à l'abattre et à le transporter que pour le point de repère qu'il était devenu.

«Après tout, c'est un être vivant, et puis, pour la sagesse... il doit en avoir autant qu'un vieil humain.» Elle partit donc en direction de la Première Clairière. Comme ceci...

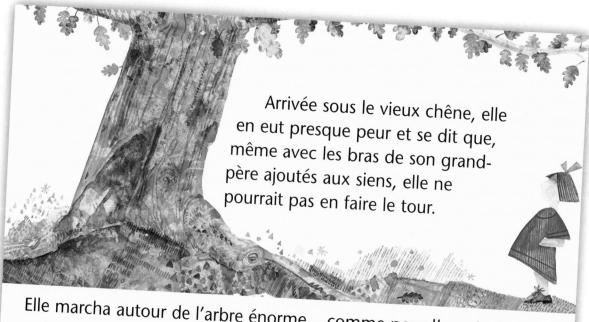

Arrivée sous le vieux chêne, elle en eut presque peur et se dit que, même avec les bras de son grand-père ajoutés aux siens, elle ne pourrait pas en faire le tour.

Elle marcha autour de l'arbre énorme... comme pour l'apprivoiser, puis, suivant à la lettre les instructions du vieil almanach, décida de le consulter :

– Vieux chêne... peux-tu me dire pourquoi il y a moins d'eau dans le puits ?

Source : Gilles Vigneault, *Gaya et le Petit Désert*
(ill. : Jacques A. Blanpain), p. 2-9. © Nouvelles Éditions de l'Arc, 1994.

1. Trouve le sens des mots en couleur. Utilise les stratégies que tu as apprises pour y arriver.

2. À quel moment de l'année cette histoire se déroule-t-elle ?

3. Quel est le problème de Gaya et de son grand-père ?

4. Selon toi, quelle serait la solution à ce problème ? Quelle pourrait être la réponse du vieux chêne à la question de Gaya ?

5. Relis l'extrait de *Gaya et le Petit Désert*. Repère les différents lieux qui y sont présentés. Tu peux utiliser le texte qu'on te remettra et souligner chacun des lieux que tu auras repérés.

6. Fais ensuite un dessin pour illustrer ces lieux dans ton carnet de lecture. Tu peux aussi ajouter un commentaire pour donner ton appréciation de cette lecture.

Clés en main

Document reproductible
20

La phrase négative

1. Voici la première strophe d'un poème. Lis la version originale à gauche et une version modifiée à droite.

L'averse

Un arbre tremble
sous le vent.
Les volets claquent.
Comme il a plu,
l'eau fait des flaques.

Un arbre ne tremble pas
sous le vent.
Les volets ne claquent pas.
Comme il n'a pas plu,
l'eau ne fait pas de flaques.

Source : Francis Carco, *La bohème et mon cœur.* © Albin Michel.

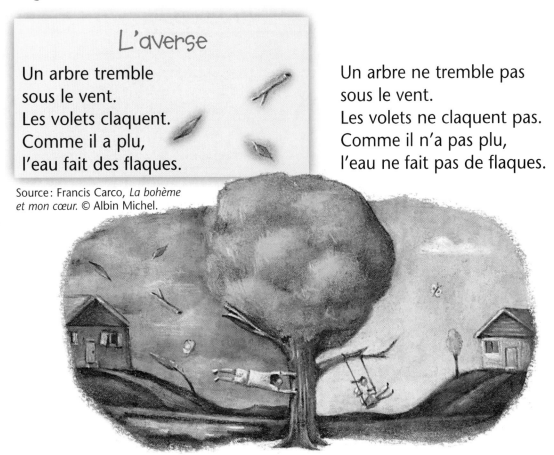

a) Est-ce que les deux textes expriment la même réalité? Explique ta réponse.

b) Les phrases du poème original (à gauche) sont à la forme positive, tandis que celles du texte de droite sont à la forme négative. Quels mots t'indiquent que les phrases sont négatives?

c) Selon toi, comment transforme-t-on une phrase positive en une phrase négative?

d) Selon toi, comment s'appellent les mots qu'on ajoute à une phrase positive pour construire une phrase négative? Lis le texte de la rubrique *Je comprends* (p. 96) pour vérifier ta réponse.

La phrase négative

Une phrase, quel que soit son type (déclarative, exclamative, interrogative), est de forme positive ou négative. La phrase négative exprime le contraire de la phrase positive. Pour construire une phrase négative, on ajoute des mots de négation à une phrase positive: ne/n'... pas, ne/n'... plus, ne/n'... jamais, ne/n'... aucun, ne/n'... point.

Ex.: Un arbre tremble sous le vent. ► Un arbre **ne** tremble **pas** sous le vent.

Le gardien aime les oiseaux. ► Le gardien **n'**aime **plus** les oiseaux.

2. Observe les phrases négatives suivantes et trouve les mots de négation.

a) Un humain sur cinq n'a pas d'eau potable.

b) Il ne faut jamais jeter de peinture ou de solvant directement dans la poubelle.

c) Quand il n'y a pas de vent, les polluants ne peuvent plus se disperser.

3. Combien de mots de négation y a-t-il dans chaque phrase du numéro 2?

4. Transforme les phrases positives en phrases négatives. Dans tes nouvelles phrases, souligne les mots de négation.

a) Morgane jette ses papiers dans une poubelle de récupération.

b) Ahmed se sert de produits biologiques pour se débarrasser des insectes.

c) André utilise du compost dans son potager.

d) Le vent est une source d'énergie.

5. Compose deux phrases positives et transforme-les en phrases négatives.

Double clic

Magazines et webzines

Quelles sont les caractéristiques d'un magazine? Et celles d'un magazine en ligne? Qu'est-ce qu'un webzine? En connais-tu? Dans cet atelier, tu compareras les formes imprimée et virtuelle d'un magazine scientifique. Espérons que ça te donnera le goût de les utiliser ensuite pour tes différentes activités scolaires ou personnelles!

Magazines pour tous les goûts!

Après avoir repéré des titres de magazines, vous aurez, en équipe de deux, à classer ceux-ci selon les critères de votre choix et à faire des prédictions concernant leur contenu. Vous apprendrez alors à dresser une liste à l'ordinateur ainsi qu'à présenter votre travail avec ordre et méthode!

Les mots clés

Dans un texte informatif, les mots clés représentent l'information importante du texte. En équipe de deux et à l'ordinateur, vous préparerez la lecture du texte «C'est quoi, l'effet de serre?» en faisant des regroupements de mots clés.

Giuseppe Arcimboldo (1527-1593),
Le Bibliothécaire

Les livres, des amis pour la vie

Pour terminer l'année, les auteures te proposent la lecture d'extraits de romans. Tu y découvriras certains personnages qui te ressemblent et d'autres qui sont différents de toi.

En plus de ces extraits, tu liras des textes informatifs sur les sentiments.

En écriture, tu pourras exercer tes talents en ajoutant quelques dialogues à un extrait de roman et en participant à une entrevue.

Comme projet, tu feras connaître ton roman préféré à tes camarades de classe.

« Je te donne ce poème,
le mot arbre, le mot maison,
et sentier, ruche, rivière,
mésange, jardin, lumière,
lune et soleil, nuit et jour,
étoile, sourire, amour,
le mot cœur, le mot caresse.
Je te donne la promesse
de l'amitié du monde. »

Jacques Charpentreau, *L'Amitié des poètes*, Hachette Jeunesse
(coll. Le Livre de Poche Jeunesse), © Hachette Livre, 1994, p.133.

Es-tu un ami sincère? ricaneur? de confiance? Es-tu une amie généreuse? enjouée? sur qui on peut compter? Comment pourrait-on te décrire? Voici un jeu amusant qui te permettra de le découvrir. Lis chaque énoncé et, sur la feuille qu'on te remettra, entoure celui qui te convient le mieux. Puis, analyse tes résultats.

En toute amitié

1. Une de tes camarades de classe est malade. Que fais-tu?

▲ Tu lui apportes ses devoirs.

● Tu ne passes pas la voir. Ce n'est pas le moment d'attraper une maladie contagieuse!

■ Tu lui téléphones pour lui dire de bien se soigner.

2. C'est l'anniversaire d'une de tes amies.

■ Tu es particulièrement aimable avec elle ce jour-là.

▲ Avec tes économies, tu lui offres des cartes pour sa collection.

● Tu oublies son anniversaire.

3. À l'école, tu passes la récréation:

▲ avec ton meilleur ami ou ta meilleure amie et le reste de la bande.

■ avec ceux et celles qui jouent au ballon.

● tout seul ou toute seule avec un livre.

4. Tu pars en vacances un mois avec ta famille.

▲ Tu penses souvent à ton meilleur ami ou à ta meilleure amie, car tu aimerais partager ton plaisir.

● La famille et les camarades, c'est différent. Tu l'oublies pendant ce mois-là.

■ Tu lui rapportes un petit souvenir.

5. Un de tes amis est malheureux.

■ Tu lui téléphones pour essayer de lui remonter le moral.

● Tu essaies de l'ignorer. C'est vraiment trop déprimant !

▲ Tu essaies de comprendre ce qu'il a pour pouvoir le consoler.

6. Pour toi, un ami ou une amie, c'est :

▲ quelqu'un de confiance.

■ quelqu'un avec qui on peut s'amuser.

● quelqu'un qui t'apporte un cadeau à ton anniversaire.

7. Un de tes amis ne peut pas faire ses devoirs parce qu'il a oublié ses livres à l'école.

● Tu lui dis que toi aussi tu les as oubliés, car tu ne veux pas les lui prêter.

■ Tu lui prêtes tes livres en lui demandant de te les retourner aussitôt qu'il en aura fini.

▲ Tu l'invites chez toi pour que vous puissiez faire vos devoirs ensemble. Ça arrive à tout le monde d'oublier.

8. Une amie te confie un secret.

■ Tu en parles à tes autres camarades. On est tous des amis et amies après tout.

▲ Tu es fier ou fière de sa confiance et tu n'en parles à personne.

● Tu le répètes à tout le monde.

À chaque livre sa couverture

Chaque livre possède une couverture qui sert à en protéger les pages, à donner de l'information sur le contenu et à attirer l'attention du lecteur ou de la lectrice. Une couverture se compose de trois parties : la première de couverture, le dos et la quatrième de couverture.

 Observe la couverture suivante. Quels renseignements y trouve-t-on ? Sur les feuilles qu'on te remettra, tu devras identifier ces renseignements. On te demandera ensuite de créer ta propre couverture de livre.

Quatrième de couverture 〉   Dos ↓   Première 〈 de couverture

HÉLÉNA ALMÉRAS
Le secret d'Aïcha

Aïcha a neuf ans. Toujours souriante, elle a le teint basané et les cheveux noirs comme du jais.

Elle détient un secret : un collier magique que vient de lui confier sa grand-mère avant sa mort. Mais elle ne peut le révéler à personne, sinon…

Illustrateur : Stéphane Lortie

Collection Aube
Dès 8 ans

ISBN 2-89634-564-7

9 782896 345649

HÉLÉNA ALMÉRAS

Le secret d'Aïcha

HÉLÉNA ALMÉRAS

Le secret d'Aïcha

Éditions Nuit et Jour
Collection Aube

Un jour, la maman de Julien décide que son fils devrait suivre des cours de natation. Ce dernier n'est pas du tout emballé par l'idée. S'inscrira-t-il tout de même à ces cours de natation? Que lui arrivera-t-il?

Lis le texte attentivement. Essaie de te remémorer une situation semblable que tu as déjà vécue. Après la lecture, tes camarades et toi pourrez discuter de cette histoire.

Le démon du mardi

Chapitre
1

— Choses promises, choses dues! répète maman.
Dommage! Elle m'a promis de faire des hot dogs deux fois par semaine. En échange, je lui ai promis de m'inscrire à un cours de natation. C'était le mois dernier et c'était idiot. Je suis déjà fatigué de manger des hot dogs, mais maman s'en fout. Aujourd'hui, elle me traîne à la piscine pour l'inscription.

Le vent nous glace les yeux jusqu'au fond des orbites. Il nous gèle les muscles jusqu'aux os. Nous marchons plus raides que des robots. Ce qui n'empêche pas ma mère de s'énerver:

— Avance plus vite, Julien, il ne restera plus de place!
Elle dit juste ce qu'il faut pour me faire ralentir davantage. Je marmonne:

— Se baigner en janvier, je trouve ça débile.

— «Se baigner» et apprendre à nager, ce n'est pas pareil, me reprend-elle aussitôt.

— Je sais nager. J'ai nagé cet été, au lac.

— Voilà pourquoi je t'inscris au niveau 3.
Elle n'a pas compris ou quoi? Je m'arrête et je lui mets les points sur les «i»:

— Quand on sait nager, on n'a pas besoin d'apprendre à nager.

Maman s'empare de ma main et m'oblige à marcher d'un bon pas.

– Nages-tu comme un champion? demande-t-elle.

Et elle répond aussitôt à ma place:

– Non, mais on va y arriver. Tu vas suivre des cours pendant quelques années. Après quoi, tu deviendras sauveteur. Comme Émilie!

Cette fois, je m'arrête net, les pieds calés dans la neige. Tant pis si elle m'arrache le bras. Je m'écrie:

– Suivre des cours pendant des années, jamais! Je n'ai pas promis ça. Je ne veux pas devenir sauveteur.

Ma mère a beau me tirer, je ne bouge plus. Elle passe donc aux menaces. Ou j'avance tout de suite, ou elle remplace les hot dogs par du navet et des épinards.

Je redémarre pendant qu'elle s'écoute parler. C'est fou les bêtises qu'elle raconte. À l'entendre, je la remercierai quand je serai un adolescent. Je serai bien content d'avoir un bel emploi d'été, comme celui de ma cousine Émilie. Pas fatigant du tout. Je serai confortablement installé sur une chaise haute. Je n'aurai qu'à veiller sur les pauvres gens qui ne nagent pas aussi bien que moi. Au pied de mon trône, plein de filles me dévoreront des yeux. Elles se battront pour être ma blonde!

Ma mère pense-t-elle me convaincre avec ça? Des filles, à l'école, il y en a déjà trop. Imaginer qu'elles voudraient toutes être mes blondes me donne des frissons d'horreur! Les filles me tapent sur les nerfs. Elles passent leur temps à rire par en dessous, en regardant les autres avec des petits yeux. Si je le pouvais, je les changerais en gars... En gars comme je les aime... Comme moi, disons...

Puis zut! Il y aurait trop de garçons pour la seule fille qui resterait. Bien oui. Je ne serais pas assez fou pour transformer Gabrielle Labrie. Elle est parfaite! La plus belle. La plus gentille, aussi; ça, j'en suis sûr. Presque sûr. Je ne lui ai jamais parlé. Elle n'est pas dans ma classe.

Ma mère ouvre la porte du centre sportif. Elle la tient pour moi. Mais comme je n'ai pas oublié ses cours de politesse, je laisse d'abord passer une

autre mère et son enfant. Maman est furieuse quand elle les voit s'ajouter à la file des candidats.

Il y a quatre enfants devant moi pour le «niveau 3, 8 à 10 ans». Maman piétine. Ça lui donne sans doute l'illusion d'avancer. Elle murmure dans son écharpe :

– Pourvu qu'il reste de la place!

Soudain, la première fille qui est en file se retourne et mon cœur bondit. Bang! dans les côtes! C'est Gabrielle! Tout se bouscule dans ma cervelle. Avec ma belle, je me baignerais au pôle Nord. Et voilà qu'on m'offre cette chance à la piscine municipale. J'ai le goût de mordre l'enfant que j'ai laissé passer. Je me mets à piétiner plus nerveusement que maman.

– Pourvu qu'il reste de la place! murmurons-nous à l'unisson.

J'ai eu la dernière place. De justesse.

Chapitre 2

Source : Danielle Simard, *Le démon du mardi*, p. 7-17.
Soulières éditeur (coll. Ma petite vache a mal aux pattes). © Soulières éditeur et Danielle Simard, 2000.

1. En grand groupe, répondez aux questions suivantes :

   a) Qu'est-ce qui vous a frappés dans cette histoire? Qu'est-ce que vous en retenez?

   b) Répondez ensuite aux questions sur la feuille qu'on vous remettra. Vous pourrez ainsi vérifier si vous avez bien compris l'histoire. Consultez votre texte. À la fin de cet échange, si vous avez des questions, vous pourrez les poser aux autres élèves de la classe.

2. Julien est bien déterminé à impressionner la jolie Gabrielle pendant les cours de natation. Il est prêt à tout! Selon toi, que pourrait-il faire pour qu'elle le remarque? Écris quelques lignes dans ton carnet de lecture. Partage ensuite tes idées avec tes camarades de classe.

Projet

Des romans à faire connaître

Après avoir lu un bon roman, il peut être agréable de le faire connaître aux autres. Dans ce projet, tu devras trouver, individuellement ou en équipe, une façon originale de présenter aux élèves de ta classe un roman ou une scène d'un roman que tu as apprécié. Le but de la présentation est de faire connaître ton roman et d'expliquer brièvement pourquoi tu le recommandes. Chaque présentation devra se faire oralement et être appuyée d'un support visuel (ex.: affiches, photos, entrevue, etc.).

Plusieurs possibilités s'offrent à toi. En voici quelques-unes que tu pourras enrichir de tes propres idées.

• Utiliser les arts plastiques pour créer une murale représentant une scène du livre ou en illustrer les principaux personnages, construire un arbre généalogique illustrant les liens de parenté entre les personnages, fabriquer une affiche, etc.

• Jouer une scène de l'histoire à l'aide de marionnettes.

• Présenter des moments de l'histoire en choisissant des mimiques et des postures appropriées accompagnées de quelques dialogues.

• Créer un diaporama d'une scène ou des meilleurs moments du livre.

• Présenter un croquis des principaux événements (début, milieu, fin).

• Utiliser l'ordinateur pour présenter ton roman.

Voici les étapes à suivre pour réaliser ton projet.

Exploration

Tout d'abord, tu dois décider si tu travailleras individuellement ou en coopération. Puis, il faut trouver le roman. Si tu as besoin de suggestions, interroge ton entourage (camarades, enseignant ou enseignante, bibliothécaire, etc.), fouille sur les rayons de la bibliothèque ou dans Internet.

Une fois ton choix arrêté, lis ou relis le roman que tu veux présenter.

Planification

Il te faut maintenant trouver ce que tu vas présenter : les principaux événements, les personnages, une scène de l'histoire, etc. Ensuite, il faut réfléchir à la façon de faire la présentation. Quand présenteras-tu ton roman ? Combien de temps as-tu pour te préparer ? De quel matériel auras-tu besoin ? Quelles seront les différentes étapes ? Si tu travailles en coopération, quels seront les rôles de chacun et de chacune ? Utilise la feuille qu'on te remettra pour consigner tous ces renseignements.

Réalisation

C'est parti ! Réalise maintenant ton projet. Consulte fréquemment ton tableau de planification pour ne rien oublier. En arts plastiques, il sera peut-être utile de faire un croquis. Au théâtre ou à l'ordinateur, il faudra s'exercer.

Communication

Le grand jour est arrivé. Tu as hâte de présenter ton coup de cœur à tes camarades. Vas-y ! Mets de la passion et de l'enthousiasme dans ta présentation. Donne aux autres le goût de lire ce roman. À la fin de ta présentation, explique brièvement pourquoi tu as choisi ce roman.

Évaluation

Tu viens de réaliser ton dernier projet de l'année scolaire. Bravo ! Prends maintenant le temps de remplir la fiche d'autoévaluation qu'on te remettra. Présente-la ensuite à ton enseignante ou à ton enseignant qui devra la compléter.

Clés en main

Document reproductible 6

Mes mots

Noms	Adjectifs	Verbes	Mots invariables
l'amitié	aveugle	douter	amicalement
l'amour	brusque	espérer	bravo
le bonheur	charitable	parler	justement
la charité	fidèle	partir	vite
un cœur	jeune	pleurer	
une compagnie	juste	repartir	
mon compagnon	noble	rire	
ma compagne	nuisible	sentir	
notre douleur	riche	se souvenir	
un doute	vaste		
une folie	vide		
la justice			
mai			
un mal			
un merci			
votre problème			
son reproche			
un souvenir			

Mes verbes conjugués

AIMER			FINIR		
PASSÉ COMPOSÉ			PASSÉ COMPOSÉ		
Personne	Auxiliaire	Part. passé	Personne	Auxiliaire	Part. passé
j'	ai	**aimé**	j'	ai	**fini**
tu	as	**aimé**	tu	as	**fini**
il/elle	a	**aimé**	il/elle	a	**fini**
nous	avons	**aimé**	nous	avons	**fini**
vous	avez	**aimé**	vous	avez	**fini**
ils/elles	ont	**aimé**	ils/elles	ont	**fini**

1. Placez-vous en équipe de deux. Quelles difficultés voyez-vous dans chacun des mots suivants?

   a) compagnon;   c) cœur;

   b) bonheur;   d) folie.

2. Trouvez tous les mots du tableau *Mes mots* qui sont de la même famille que les mots suivants :

   a) juste;   c) charité;

   b) doute;   d) partir.

3. Trouvez le sens du mot *cœur* dans chacune des expressions suivantes :

   a) Sergio habite au cœur de Québec.   c) Samia a le cœur sur la main.

   b) Tu fais cela de bon cœur.   d) Je sais ma leçon par cœur.

Dans l'unité 2 du manuel A, tu as lu des textes sur la colère, la jalousie et la tristesse. Voici quatre courts textes sur d'autres sentiments. Chacun de ces sentiments y est comparé à quelque chose que tu connais. Lis attentivement ces textes. Observe les comparaisons et les images que l'auteure a habilement créées. Tu pourras ensuite faire des liens entre cette lecture et ta propre expérience.

Sentiments

L'amitié

Si c'était une maison, ce serait une cabane. Vous savez, ces cabanes que l'on construit soi-même dans la clairière d'une forêt. Elles sentent bon la fougère et la résine. Elles résonnent de tous les rires qu'on a partagés en traînant les branchages. Même si l'on s'est égratigné, personne ne s'en est soucié. Chacun participait gaiement à la besogne, prêt à donner un coup de main. Cette cabane, on y vient quand on veut, on s'y sent tout bien.

L'amitié, c'est ça. Un sentiment drôlement confortable. Chacun a sa place toute trouvée dans le cœur de l'autre.

Le remords

Si c'était une maladie, ce serait un mal au ventre à vous plier en deux. Genre qui vous donne la colique. Et l'on passe son temps à courir au «petit endroit». Et l'on n'est franchement pas fier de soi. Parce que ce mal au ventre, on l'a bien mérité! On vous avait pourtant prévenu qu'il ne fallait pas s'empiffrer. On vous l'avait répété que ce n'était pas gentil de piquer les desserts des copains à la cantine. On l'a fait quand même. On est bien puni.

Le remords, c'est ça. Un sentiment qui souffre. On se sent malade. Et, pour tout arranger, on sait très bien que c'est bien fait pour nous!

La joie

Si c'était de l'eau, ce serait un torrent. Un torrent qui bondit dans la montagne. Avec plein de soleil qui dégouline au beau milieu de son lit. Et des poissons d'argent qui frétillent, et des brins d'herbe qui le chatouillent de tous les côtés, et des pépites d'or incrustées à chaque rocher. Comment voulez-vous que ce torrent-là tienne en place? Il ruisselle de sourires, il étincelle, il saute au cou des étoiles.

La joie, c'est ça. Un sentiment pétillant, ensorcelant, qui vous tient sous son charme. On se sent dans une bulle. Une bulle toute gonflée de contentement.

110

La déception

Si c'était un fruit, ce serait une pêche. Une pêche splendide, parfumée, avec des joues dorées et rebondies. Elle est là, sur sa branche, sous votre nez. Vous sentez déjà le goût délicieux qu'elle aura dans votre bouche. Vous salivez. Vous tendez la main. Vous cueillez la pêche. Vous croquez dedans... Pouah! Pourrie! Cette merveille si désirable est immangeable. On en pleurerait.

La déception, c'est ça. Un sentiment qui commence bien et qui finit mal. On se sent bête; ça vous fait comme un trou tout au fond de vous. C'était bien la peine d'éprouver tant de plaisir pour en arriver là!

Source: Véronique Fleurquin, *Sentiments*. © Éditions Syros, 1994.

 1. Pour t'aider à sélectionner et à organiser l'information importante du texte, remplis l'organisateur qu'on te remettra.

 2. Place-toi avec un ou une camarade de classe. Comparez vos réponses. Puis, à tour de rôle, choisissez un sentiment présenté dans le texte et racontez une situation au cours de laquelle vous avez éprouvé ce sentiment. Vous pouvez faire l'exercice autant de fois qu'il y a de sentiments.

 3. Note la source de la lecture que tu viens de faire et écris quelques mots pour exprimer ton appréciation.

Il y a bien d'autres sentiments qui existent... La fierté, l'amour, la bonté, le courage, la peur, la pitié, la honte, la haine et l'admiration ne sont que quelques-uns de ces autres sentiments. Choisis un sentiment qui n'a pas été abordé dans la lecture et illustre-le dans ton carnet de lecture.

Clés en main

La virgule dans les énumérations

1. Lis les extraits suivants. Observe les phrases surlignées. Chacune de ces phrases contient une énumération.

> Une énumération, c'est une liste de différents éléments.

1

Je m'appelle Mathieu. J'ai sept ans et je ne ressemble à personne.

J'ai les cheveux frisés comme un mouton, de grandes oreilles d'éléphant, un petit nez de souris, des mains douces comme des ailes de papillon et des yeux noirs comme le charbon.

Source: Gilles Tibo, *Les yeux noirs*, p. 7-8. Soulières éditeur (coll. Ma petite vache a mal aux pattes), 1999.

2

Il s'appelait Apoutsiak, le petit-flocon-de-neige. Il était rond, doré et beau. Bien au chaud, dans le dos de sa mère, il dormait.

Source: Paul-Émile Victor, *Apoutsiak, le petit-flocon-de-neige*. Flammarion-Père Castor (coll. Castor poche).

3

Ti-Tom est le plus costaud de ses amis. Il cherche constamment quelqu'un pour jouer à la balle, courir et sauter.

Source: Raymond Plante, *Les manigances de Marilou Polaire*, p. 16. Les éditions de la courte échelle inc. (coll. Premier Roman).

a) Dans le premier extrait, quels sont les éléments énumérés et à quel groupe de mots appartiennent-ils?

b) Dans le deuxième extrait, quels sont les éléments énumérés et à quelle classe de mots appartiennent-ils?

c) Dans le troisième extrait, quels sont les éléments énumérés et à quel groupe de mots appartiennent-ils?

d) Quel signe de ponctuation trouve-t-on à l'intérieur des énumérations?

e) Quel mot est placé avant le dernier élément énuméré?

2. a) Des signes de ponctuation et des majuscules ont été effacés du texte suivant. Sur la feuille qu'on te remettra, replace-les aux endroits appropriés.

mes yeux, ils sont beaux, mais ils ne voient pas... Ils ne voient rien je suis aveugle depuis ma naissance. Même sous le soleil d'été, c'est comme si je marchais dans la nuit. je n'ai jamais peur dans le noir parce que je suis toujours dedans

j'ai remplacé mes deux yeux qui ne fonctionnent pas par trente-trois autres personne ne le sait j'ai caché des yeux dans mes mains dans mes pieds dans mon nez dans ma bouche et, surtout, dans mes oreilles

Source: Gilles Tibo, *Les yeux noirs* (ill. Jean Bernèche), p. 9 et 30. Soulières éditeur (coll. Ma petite vache a mal aux pattes). © Soulières éditeur et Gilles Tibo, 1999.

b) Quelles stratégies as-tu utilisées pour trouver tes réponses?

3. Compose une phrase dans laquelle tu énuméreras quatre ou cinq qualités de ta meilleure amie ou de ton meilleur ami.

Je comprends **La virgule dans les énumérations**
Dans une phrase, les éléments énumérés sont le plus souvent des groupes du nom, des groupes du verbe ou des adjectifs. Les éléments énumérés sont séparés par une virgule, sauf le dernier élément qui n'est pas séparé par une virgule, mais par *et* ou par *ou*.

Ex.: Le nez de Mathieu est-il petit, gros **ou** énorme?

On peut être vert de peur, voir la vie en rose ou avoir des idées noires, mais pour Gilou, le pire, c'est d'être rouge timide. Heureusement, ça se soigne. Oui, mais comment? C'est à toi de le découvrir!

Dans cet extrait du roman *Rouge Timide*, tu rencontreras un petit garçon vraiment timide et son meilleur ami vraiment rouge...

Pour ta lecture, suis les étapes de la démarche présentée sur la feuille qu'on te remettra. Après ta lecture, tu pourras participer à une discussion en petit groupe portant sur cette histoire.

Rouge Timide

Chapitre 1

Je m'appelle Gilou mais tout le monde m'appelle «Le timide».

Dans la cour d'école, au parc, sur le trottoir, on me dit:

– Hey! Salut le timide!

Je ne réponds jamais à personne. Je deviens rouge comme une tomate et je me sauve en courant. Ce n'est pas de ma faute. Je suis timide depuis ma naissance.

Ma mère m'a raconté que je suis né en retard, trop gêné pour venir au monde. Sur les photographies de ma naissance, je suis rouge comme une tomate! Plus tard, à la garderie, je ne jouais avec personne. Maintenant, à l'école, je n'ai pas d'ami. Je reste tout seul dans mon coin.

Si Martine, le professeur, me pose une question, je me cache derrière mon grand cartable. Je fais semblant de ne pas la voir. Si elle s'approche, mon cœur rebondit comme une balle. J'ai chaud et froid en même temps. Je tremble comme une feuille et je deviens rouge comme une tomate.

C'est toujours la même chose. On dirait que les mots sont heureux dans ma tête, mais quand vient le temps de parler, les phrases deviennent comme des morceaux de bois. Ils restent pris dans ma gorge. Ils m'empêchent de respirer et je deviens rouge comme une tomate.

J'ai encore plus de difficulté avec les chiffres. On dirait qu'ils sont bien alignés dans ma tête, mais si Martine me demande : sept plus quatre plus neuf moins deux, je ne peux pas répondre. Les chiffres s'énervent et tournent si vite dans mon cerveau que je ne peux pas les attraper. Les sept s'accrochent dans les quatre, les neuf se battent avec les deux, les vingt piétinent les dix et je deviens rouge comme une tomate !

J'aimerais bien ressembler à Nicolas. Nicolas est mon héros. Il sourit à tout le monde. Il parle beaucoup. Lorsque Martine pose une question, il bondit sur son siège et répond tout de suite, sans lever la main. Moi, chaque fois qu'on me regarde et chaque fois que je dois parler, je deviens rouge comme une tomate.

Je déteste les tomates et presque tout ce qui est rouge : le jus de tomate, les crayons de couleur rouge, les chandails rouges, les pyjamas rouges, les vélos rouges, les lumières rouges... je n'aime que les poissons rouges.

Mes parents me demandent ce que je désire pour mon anniversaire. Depuis longtemps je rêve d'un aquarium plus gros que la maison avec des douzaines et des centaines et des milliers de poissons rouges.

Trop timide, je murmure en rougissant :

– Je veux avoir un tout petit aquarium avec un tout petit poisson rouge...

Au magasin d'animaux, je choisis le poisson le plus gêné, le plus rouge, celui qui se cache tout au fond de l'aquarium. Je suis gêné pour lui. Je suis même gêné de le ramener à la maison !

Mon poisson rouge, je l'appelle *Rouge Timide*. *Rouge*, c'est son prénom et *Timide*, c'est son nom de famille.

Au début, nous sommes très gênés tous les deux. Lui, il reste dans le fond de l'eau et moi, je ne le regarde que d'un œil. On ne se parle presque pas, seulement :

– Bonjour, bonne journée...

– Toi aussi...

– Bonsoir, bonne nuit...

– Toi aussi...

J'installe le petit aquarium sur ma table de travail. Lorsque je fais mes devoirs, *Rouge* me regarde avec ses grands yeux. Lorsque j'apprends mes leçons à haute voix, il danse et il fait des pirouettes dans l'eau. En l'espace de deux mois, nous sommes devenus de vrais amis!

On fait des farces et on rit. Il adore cette blague: est-ce que les petits pois sont rouges? Non, les petits pois sont verts!

Rouge Timide fait des bulles quand il rit.

Ensemble, nous ne sommes plus gênés. Nous parlons de toutes sortes de choses. Mais il ne connaît rien. Toute sa vie, il a vécu dans un aquarium.

Alors, j'ai une idée de génie!

Je prends le petit aquarium et je promène mon poisson dans ma chambre en lui nommant les choses:

– Ça, c'est mon lit, voici mon toutou, ma chaise, mon ballon, mes dessins, mes livres préférés, ma cachette secrète dans la garde-robe...

Ensuite, lentement, pour ne pas renverser d'eau sur le plancher, je lui présente le reste de la maison: le salon, la cuisine, la salle de bains, la chambre de mes parents.

Rouge Timide est tellement content qu'il tourne comme une toupie. Il fait des bulles quand il est heureux.

Source: Gilles Tibo, *Rouge Timide*, p. 7-20.
Soulières éditeur (coll. Ma petite vache a mal aux pattes).
© Soulières éditeur et Gilles Tibo, 1998.

1. Placez-vous en équipe de quatre. Discutez de la lecture que vous venez de faire. Suivez la démarche présentée sur la feuille qu'on vous remettra.

2. Après la discussion, laisse des traces personnelles de cette lecture dans ton carnet. Peut-être aimerais-tu décrire un moment où tu as ressenti de la timidité?

116

Unité 6

À vos plumes

Un dialogue... entre amis

Dans l'extrait de *Rouge Timide* que tu as lu précédemment, il est écrit qu'en deux mois Gilou et Rouge Timide sont devenus de vrais amis. Ils font des farces, ils rient et ils se parlent beaucoup. Ensemble, ils ne sont plus gênés. Selon toi, que peuvent se dire Gilou et son poisson? Prends quelques minutes pour y réfléchir. Tu devras inventer un dialogue entre ces deux personnages.

 Placez-vous en équipe de deux et suivez la démarche proposée.

 Document reproductible 11

Je planifie

Relisez d'abord le texte aux pages 114 à 116 de votre manuel. Arrêtez votre lecture après les phrases suivantes: «Ensemble, nous ne sommes plus gênés. Nous parlons de toutes sortes de choses.» (p. 116). Votre dialogue devra faire suite à cet extrait. Choisissez chacun ou chacune un personnage. Qui sera Gilou et qui sera Rouge Timide? Mettez-vous dans la peau de ces personnages. Discutez de vos idées et engagez la conversation comme si vous étiez vraiment ces personnages. Remplissez ensuite le tableau qu'on vous remettra.

 Document reproductible 12

Je rédige

• En vous inspirant des idées que vous aurez inscrites sur votre plan, composez un dialogue de six à huit phrases pour raconter ce que se disent Gilou et Rouge Timide.
• Faites des phrases complètes. Mettez une majuscule au début de chaque phrase et un point à la fin. Si vos personnages posent des questions, n'oubliez pas les points d'interrogation.
• Changez de ligne chaque fois qu'un personnage prend la parole.
• Pour préciser vos questions et les émotions des personnages, ajoutez des adjectifs dans les groupes du nom.

Je révise et je corrige

- Vérifiez si chaque phrase de votre dialogue est claire, bien construite et a du sens. Améliorez les phrases qui vous semblent fautives en déplaçant, en ajoutant ou en enlevant des mots.
- Vérifiez ensuite l'orthographe des mots. Placez un ? au-dessus de ceux dont vous doutez de l'orthographe.
- Consultez les banques de mots et le dictionnaire pour corriger vos erreurs.
- Vérifiez les accords dans les groupes du nom. Utilisez la démarche apprise (nom : donneur ; déterminant et adjectif : receveurs).
- Vérifiez les terminaisons des verbes. Consultez les tableaux de conjugaison. Utilisez la démarche apprise.

Je mets au propre

Individuellement, écrivez votre texte au propre et relisez attentivement la version finale. Assurez-vous que tous les mots sont là. Ajoutez-y un dessin.

Je présente

Affichez votre histoire sur les murs de la classe et lisez celles de vos camarades.

Je m'évalue

Individuellement, soulignez une ou deux phrases qui vous satisfont particulièrement dans votre texte.

Clés en main

Orthographe et conjugaison

Document reproductible 14

L'emploi de la lettre *g*

Mes mots

Noms		Adjectifs	Verbes	Mots invariables
cet avertissement	cette lecture	commun	avertir	alors
ce coin	ce livre	commune	connaître	en
ce congé	ce moyen	fatigué	dire	en arrière
cette cour	cette page	fatiguée	gagner	finalement
cette équipe	cette part	féminin	lire	
cette fatigue	cette partie	féminine	savoir	
cette fin	cette rencontre	ouvert	tenter	
cette idée	ce retour	ouverte		
ce jeu	cette réunion			
ce/cette jeune	ce roman			
cette jeunesse				

Mes verbes conjugués

DIRE			SAVOIR		
INDICATIF PRÉSENT			**INDICATIF PRÉSENT**		
Personne	Radical	Terminaison	Personne	Radical	Terminaison
je	di	**s**	je	sai	**s**
tu	di	**s**	tu	sai	**s**
il/elle	di	**t**	il/elle	sai	**t**
nous	dis	**ons**	nous	sav	**ons**
vous	dit	**es**	vous	sav	**ez**
ils/elles	dis	**ent**	ils/elles	sav	**ent**

1. a) Classe tous les noms du tableau *Mes mots* dans un tableau semblable à celui-ci:

Masculin	Féminin
cet avertissement	cette cour

b) Quels déterminants trouve-t-on devant les noms masculins?

c) Quel déterminant trouve-t-on devant les noms féminins?

2. Lis les mots du tableau suivant à voix haute.

con**g**é	fi**g**ure
girafe	**g**agner
pa**g**e	lé**g**ume

Unité 6

119

a) Comment se prononce la lettre *g* dans les mots de la première colonne ?

b) Comment se prononce la lettre *g* dans les mots de la deuxième colonne ?

c) Comment se prononce la lettre *g* dans les mots suivants ?

man**ge**oire	man**ge**ant

d) Comment se prononceraient les mots donnés en c) si on enlevait le *e* après le *g* ?

e) Comment se prononce la lettre *g* dans les mots suivants ?

fati**gué**	lon**gue**

f) Comment se prononceraient les mots donnés en e) si on enlevait le *u* après le *g* ?

g) Relis toutes tes réponses aux questions a) à f). Écris dans tes mots la règle de prononciation du *g*. Vérifie ta réponse en la comparant aux explications données dans la rubrique *Je comprends*.

3. a) Compose une phrase avec le verbe *dire* à l'indicatif présent à la deuxième personne du pluriel.

b) Fais la même chose avec le verbe *faire*.

Je comprends **L'emploi de la lettre *g***

Devant les voyelles *e*, *i* et *y*, le *g* se prononce [ʒ]. On l'appelle *g* doux.
Ex. : na**ger**, fra**gi**le, **gy**mnastique.

Devant les voyelles *a*, *o*, *u* ou une consonne, le *g* se prononce [g].
On l'appelle *g* dur.
Ex. : **gr**os, **go**mme.

On peut durcir un *g* doux en ajoutant la lettre *u* après le *g* devant *e*, *i* et *y*.
Ex. : dé**gui**sement.

On peut adoucir un *g* dur en ajoutant un *e* après le *g* devant *a*, *o* et *u*.
Ex. : plon**ge**on.

La culture, c'est comme les confitures...

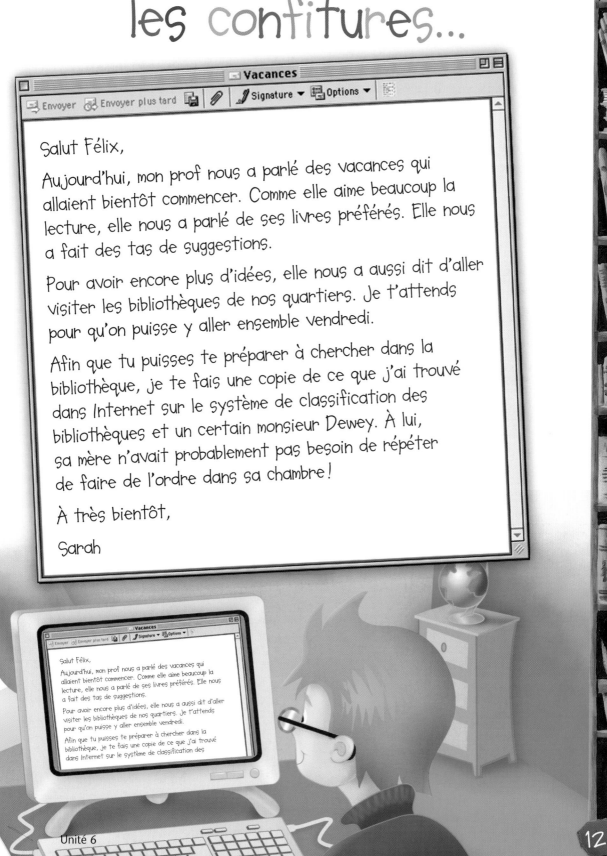

Vacances

Envoyer   Envoyer plus tard   Signature ▼   Options ▼

Salut Félix,

Aujourd'hui, mon prof nous a parlé des vacances qui allaient bientôt commencer. Comme elle aime beaucoup la lecture, elle nous a parlé de ses livres préférés. Elle nous a fait des tas de suggestions.

Pour avoir encore plus d'idées, elle nous a aussi dit d'aller visiter les bibliothèques de nos quartiers. Je t'attends pour qu'on puisse y aller ensemble vendredi.

Afin que tu puisses te préparer à chercher dans la bibliothèque, je te fais une copie de ce que j'ai trouvé dans Internet sur le système de classification des bibliothèques et un certain monsieur Dewey. À lui, sa mère n'avait probablement pas besoin de répéter de faire de l'ordre dans sa chambre !

À très bientôt,

Sarah

La bibliothèque : c'est pas sorcier !

Lorsqu'on cherche un livre à la bibliothèque, on consulte généralement le catalogue informatisé pour nous aider à nous y retrouver.

On utilise généralement le nom de l'auteur ou de l'auteure pour faire une recherche. Il faut d'abord écrire le nom de famille, puis le prénom. On peut aussi se servir du titre du livre (si on le connaît, bien sûr) ou, encore, du sujet (pour avoir des idées de ce qui existe sur ce que l'on cherche).

Lorsqu'on a trouvé le livre qu'on voulait, l'ordinateur nous indique sa cote. Il s'agit de son emplacement dans la bibliothèque, de son adresse en quelque sorte.

C'est un Américain, Melvil Dewey, qui a inventé le système de classification de nos bibliothèques. Dewey aimait l'ordre et la méthode.

Son système, que l'on appelle la classification Dewey, a été proposé en 1876 et est utilisé encore aujourd'hui dans pratiquement toutes les bibliothèques du monde.

Cette méthode de classification attribue un indice, sous la forme d'un chiffre, à chaque livre. Elle comprend dix classes

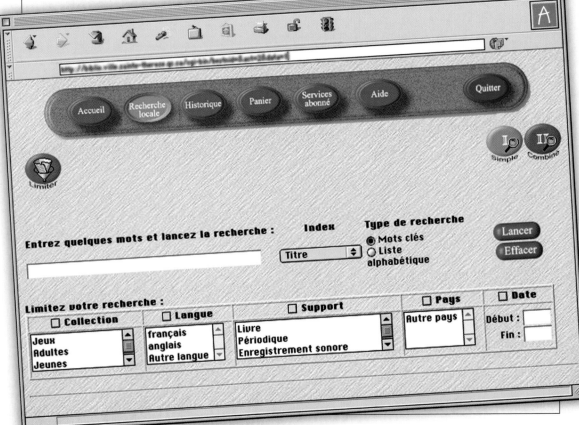

principales, de 000 à 900, chacune correspondant à un domaine de connaissances. On l'explique souvent sur une affiche à l'entrée des bibliothèques. Par exemple, dans les livres qui font partie de la classe 500, il est question des sciences comme les mathématiques et la zoologie. Sous l'indice, on place des chiffres et des lettres qui identifient l'auteur ou l'auteure. Ainsi, on obtient la cote du livre.

On trouve une cote au dos de chaque livre dans une bibliothèque. Grâce à cette méthode de classification, on peut facilement retrouver un livre.

Parallèlement à ce système, on trouve souvent une classification autre pour les romans. C'est pour faciliter la recherche aux utilisateurs et aux utilisatrices puisque, avec la classification de Dewey, tous les romans écrits en français devraient être classés sous la cote 843! On opte plutôt, pour ces livres, pour une classification à partir des premières lettres du nom de famille de chaque auteur ou auteure. Par exemple, un roman de Dominique Demers aura la cote DEM ou, moins souvent, DE.

Par ailleurs, dans une bibliothèque, on peut découvrir bien plus que des livres.

Cote d'un livre ayant pour sujet ▲ les animaux de la brousse africaine

Chaque bibliothèque personnalise ▲ son classement. Voici le même livre emprunté à deux bibliothèques différentes: R signifie roman et J, jeunesse.

Généralement, on y trouve des magazines bien sûr, mais aussi des journaux, des disques, des jeux et des vidéocassettes. On peut même y avoir accès à Internet. De plus, c'est un lieu où l'on offre toutes sortes d'activités: ateliers de bricolage, rencontres avec des auteurs ou auteures, pièces de théâtre, clubs de lecture, etc. Et tout cela est habituellement gratuit!

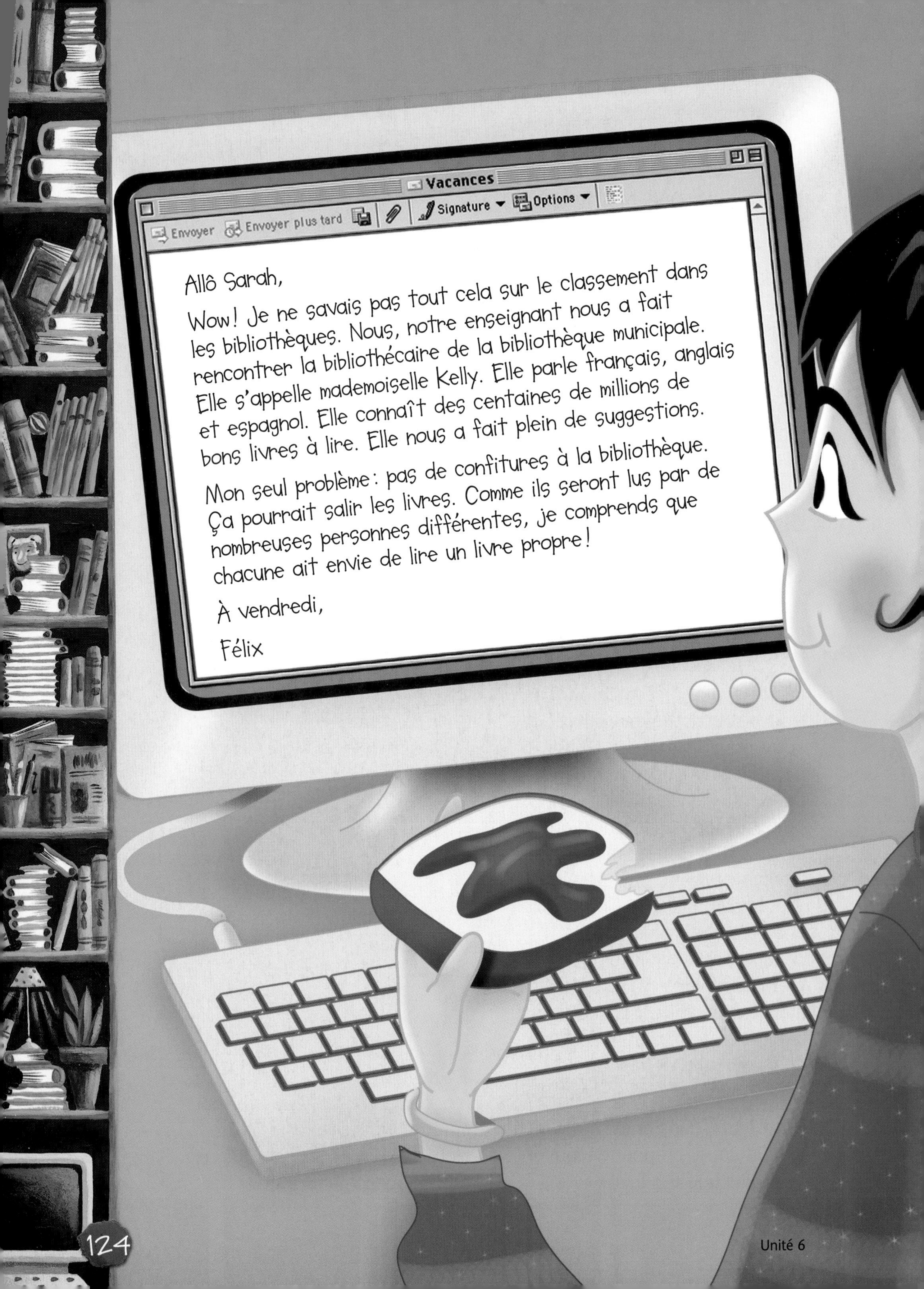

Allô Sarah,

Wow! Je ne savais pas tout cela sur le classement dans les bibliothèques. Nous, notre enseignant nous a fait rencontrer la bibliothécaire de la bibliothèque municipale. Elle s'appelle mademoiselle Kelly. Elle parle français, anglais et espagnol. Elle connaît des centaines de millions de bons livres à lire. Elle nous a fait plein de suggestions.

Mon seul problème : pas de confitures à la bibliothèque. Ça pourrait salir les livres. Comme ils seront lus par de nombreuses personnes différentes, je comprends que chacune ait envie de lire un livre propre !

À vendredi,

Félix

124

Je lis, tu lis, nous lisons...

Lis les trois extraits suivants et choisis celui que tu préfères.

Place-toi ensuite avec un ou deux élèves qui ont fait le même choix que toi. Relisez l'extrait choisi en portant une attention particulière au personnage principal et aux événements importants de l'intrigue. Vous devrez par la suite préparer une présentation de cet extrait pour les élèves de votre classe.

Ça roule avec Charlotte!

Chapitre 1

POUT! POUT! TRALALA! Moi, Charlotte Beaubec, je vais probablement séjourner une semaine dans une colonie de vacances, avec mes camarades, à l'incroyable Camp des Dégourdis. C'est Rosie, mon professeur, qui a annoncé la nouvelle devant toute la classe:

– Les amis... J'ai pensé à un projet spécial comme voyage de fin d'année.

Tout le monde a souri en relevant la tête pour mieux écouter. Rosie a toujours des idées intéressantes. On avait hâte de connaître son plan.

Elle a poursuivi:

– Comme je suis très fière de votre travail, j'aimerais partir, avec vous tous, une semaine en classe verte. J'ai discuté avec les responsables du

Camp des Dégourdis. Ils pourraient nous recevoir du 16 au 22 juin prochain. Évidemment, il faut que vos parents soient d'accord.

Mes copains et moi, on a tous applaudi. Delphine, en tant que présidente de la classe, a félicité Rosie pour sa belle initiative. Jo Balourd a crié un retentissant YOUPI à faire trembler les murs. On a dû se boucher les oreilles pour ne pas devenir sourds. C'est sa façon à lui de s'exprimer. Pour ma part, je me suis permis de siffler à plusieurs reprises tellement j'étais contente.

Si chacun est heureux de la nouvelle, personne plus que moi ne peut rêver autant d'un voyage comme celui-là. Parce que chez moi, je suis élevée comme dans la ouate. Couvée comme un petit poussin. Dorlotée comme une poupée de porcelaine...

Ça n'a pas toujours été comme ça. C'est seulement depuis l'hiver passé, quand j'ai eu mon accident de planche à neige. Maintenant, ma mère, mon père et mes cinq frères se sentent obligés de toujours me tourner autour. Des vraies mouches. Collantes et tannantes. Ils s'imaginent, parce que je suis en fauteuil roulant, que je suis devenue «gaga». Que je ne peux plus rien faire toute seule. Que je fais pitié. Ce n'est pas vrai! Et je veux leur prouver le contraire. Voilà pourquoi je frétille de joie à l'idée d'aller une semaine au Camp des Dégourdis. Ce sera pour moi la plus formidable, la plus extraordinaire, la plus sensationnelle des chances pour montrer à ma famille que je suis capable d'être autonome.

Il y a juste un petit problème. C'est pas d'aller là-bas qui me fait peur... C'est de savoir que Rosie convoque demain une réunion spéciale pour parler à nos parents! Papa et Maman ne seront sûrement pas faciles à convaincre! Ouille! Ouille! Ouille! J'ai peur qu'ils refusent.

OH! LA! LA! Voilà mes parents qui reviennent de la réunion. À voir leur regard d'homme-grenouille, c'est clair qu'ils n'ont pas trouvé l'idée de Rosie géniale!

Maman parle la première:

– Tu sais bien, ma «Pupuce», que tu ne peux pas accompagner tes camarades.

– Ah oui! Et pourquoi?

Mon père se racle la gorge, dénoue un peu sa cravate et ajoute:

– Tu comprends mon «Ti-Pitou»... On ne sera pas là pour t'aider et toute une semaine avec ta chaise, loin de nous, tu...

Il n'a pas le temps de terminer sa phrase. Ma colère explose comme une bombe:

– Allez-vous toujours me traiter en bébé lala? C'est pas parce que je ne marche plus que je ne pense plus. C'est tout juste si vous ne respirez pas à ma place! J'en ai assez. Assez. Assez, bon! Laissez-moi me débrouiller un peu toute seule!

Papa, Maman et mes cinq frères sont mal à l'aise. Ils ne sont pas habitués de m'entendre parler comme ça. Je pars dans ma chambre en roulant à toute vitesse. Je hurle pour être certaine d'être bien comprise:

– Vous voulez tellement me protéger, que je ne peux plus rien faire. C'est plate de vivre avec vous autres.

Mon chagrin est aussi gros qu'une armée d'hippopotames. Je pleure aussi fort que les chutes du Niagara. Finalement, je prends une décision, et je la crie à pleins poumons:

– Toute la classe est invitée au Camp des Dégourdis. C'est Rosie qui l'a dit. Comme je fais partie de la classe, J'IRAI MOI AUSSI!

Source: Dominique Giroux, *Ça roule avec Charlotte!* (ill.: Bruno St-Aubin), p. 7-17. Soulières éditeur (coll. Ma petite vache a mal aux pattes). © Soulières éditeur et Dominique Giroux, 1999.

Ne touchez pas à ma Babouche

Chapitre 1

Tiens! Babouche qui rêve encore.

Je suis certain qu'elle croit avoir aperçu son voisin. Regardez comme son cœur bat vite. On dirait un moteur de tondeuse. Doucement, Babouche, c'est rien qu'un chat!

Regardez. Regardez-lui les pattes. Regardez-les aller. Le chat vient sûrement de bouger. Elle court. Elle est essoufflée. Elle essaie de japper, mais il ne sort qu'un petit bruit de sa gueule. Comme une plainte.

Ça m'arrive souvent, moi aussi, dans mes rêves. Pas d'essayer de japper, mais d'essayer de parler et de ne pas en être capable. C'est surtout quand j'ai peur.

Ma chienne n'a pas l'air d'avoir peur. Elle n'arrête pas de courir. Ses pattes bougent, par petits coups secs. Comme l'oiseau que j'avais vu mourir, qui était venu se frapper dans la grande fenêtre du salon. Ses pattes bougeaient comme ça, lui aussi, par secousses.

Mais Babouche, elle, elle n'est pas à la veille de mourir. Elle a presque le même âge que moi. Neuf ans. Neuf ans de chienne, par exemple. Il paraît que ça fait... neuf fois sept... soixante-deux... non... soixante-trois ans, dans nos années à nous.

Moi, je n'y crois pas. Babouche est comme moi, elle veut toujours jouer.

Ah non! Elle s'est arrêtée et je n'ai pas vu comment son rêve a fini. Mais je pense que je le sais, de toute façon.

Elle est arrivée en hurlant devant le chat qui n'a même pas bronché. Tigris (c'est le nom du gros chat noir des Marleau) a simplement dû faire «ssshhh» en sortant ses griffes. Il a mis son dos en fer à cheval, comme tous les chats qui font les durs.

Et Babouche a viré de bord et est rentrée directement à la maison. Tête basse, comme d'habitude!

C'est en plein ça. Regardez-la maintenant. On jurerait qu'elle a honte.

Elle ressemble à un vieux chien de peluche délavé, la peau du cou toute mottonneuse, toute plissée comme un manteau de fourrure trop grand. Elle ne bouge plus d'un poil, le museau quasiment rentré sous le tapis.

Ma bergère allemande vient encore de faire rire d'elle!

Aujourd'hui, toute la classe a ri de moi. À cause de Babouche. Et de Gary qui est encore arrivé en retard à l'école.

En rentrant dans la classe, Gary s'est pincé le nez et a crié à Gisèle, le professeur d'arts plastiques: «Pas encore la mouffette!» Et tout le monde a ri. Même Gisèle qui se mordait les lèvres pour se retenir.

Tout le monde a ri parce qu'on venait juste de finir d'en parler. Et que j'avais été obligé d'avouer que c'est encore à cause de moi que ça sentait. Ou plutôt à cause de ma chienne.

C'est évident que je sens la mouffette! Tout sent la mouffette chez nous. Les fauteuils, les tapis, nos vêtements. Même les sandwichs dans mes lunchs.

C'est comme si je me promenais avec une mouffette dans mes poches. Nicole a beau laver, désinfecter, aérer, ça me suit partout.

Gary, lui, il est content de son coup. Il ne manque pas une occasion de me faire avoir l'air fou.

Et tout ça à cause de qui, vous pensez? À cause d'une chienne qui n'est même pas assez intelligente pour faire la différence entre une petite mouffette toute plate et un gros chat de gouttière noir et blanc!

Je vais lui acheter des lunettes, si ça continue. Ou bien des longues-vues.

Ça pue assez une mouffette, il me semble, pour qu'une chienne la sente! Tout le monde à l'école me sent, moi, et je n'ai jamais vu une mouffette, même de loin!

Mais ma chienne, elle, on dirait qu'elle a des bouchons dans le nez.

Figurez-vous que ce n'est pas la première fois qu'elle se fait parfumer, madame. Même pas la deuxième. C'est son troisième shampooing à la mouffette. Dans les quatre dernières années.

Trois fois, l'opération jus de tomate!

La chienne dans le bain, avec un déluge de jus de tomate sur la tête, sur la queue, un peu partout. Un vrai film d'horreur.

Peut-être bien qu'elle aime les films d'horreur? Avec elle, on ne sait jamais.

En tout cas, moi, avec les mouffettes du petit bois, j'en ferais un film d'horreur. J'éliminerais ça assez vite de la circulation, moi, ces bêtes-là. Avec un rouleau compresseur s'il le faut.

Finies les lignes blanches qui se promènent au milieu de la rue en arrosant tout le monde! Je le viderais rien que d'un coup, moi, leur flacon de parfum!

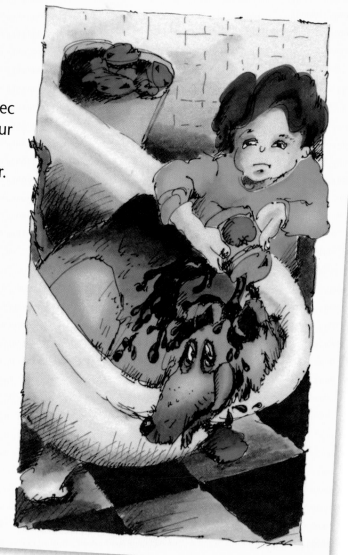

Source: Gilles Gauthier, *Ne touchez pas à ma Babouche* (ill.: Pierre-André Derome), p. 7-21.
Les éditions de la courte échelle inc. (coll. Premier Roman). © Gilles Gauthier et La courte échelle, 1988.

Fais un vœu, Nazaire!

Il y en a qui sont chanceux! Et je ne parle pas de moi. Bien sûr que non. Je ne possède pas de jeu électronique, moi. Ni la collection complète des cartes de dinosaures, ni les figurines des petits bonshommes bleus.

En plus, je n'ai même pas une pauvre petite planche à roulettes. Ce n'est pas comme Boris, le gars qui se croit le plus fin de la classe. C'est sûr: il a tout, lui. Nomme-le, il l'a.

– Pense à quelque chose que tu as et que Boris n'a pas, dit ma mère.

– Rien.

– Rien? Vraiment rien?

Bof! Bien sûr, j'ai Caramel, mais ce n'est pas pareil. Une chienne, ce n'est pas un jouet. C'est bien mieux qu'un jouet.

Mes parents m'ont offert Caramel pour mes cinq ans. Je leur avais demandé un bébé, mais ils ont mal compris. Ils m'ont donné un bébé chien à la place. C'était quand même un beau cadeau!

Je l'aime, ma Caramel. Elle est tellement belle avec son poil doré. Elle a une moustache, même si c'est une chienne. Mais elle n'a pas de barbe, par exemple. Il ne faudrait pas exagérer.

Caramel a deux ans, maintenant. Ça veut dire quatorze ans dans la vie des chiens. «Parce qu'un an dans la vie d'un être humain, ça équivaut à sept ans pour un chien.»

C'est mon grand-père qui dit ça. Et il doit le savoir, lui, parce qu'il est vieux. Si mon grand-père était un chien, il aurait au moins neuf ans.

Quand Caramel est entrée dans ma vie (et dans ma maison), elle était bébé. Un petit tas de poils qui pleurnichait dès qu'on la laissait toute seule.

Aussitôt que je la prenais dans mes bras, elle riait. Je veux dire: elle riait en chien. En tout cas, elle cessait de pleurer et elle me léchait en remuant sa queue. Ça me chatouillait.

Alors, moi aussi, je riais. Mais je ne riais pas en chien, par exemple. C'est sûr, je suis un garçon, moi.

Je lui ai fabriqué un lit dans une boîte de carton. Je l'ai enveloppée dans la doudoune que j'avais quand j'étais petit.

Je garde tout plein de choses de bébé pour le frère ou la sœur que j'aurai un jour. J'ai une suce, trois hochets, deux toutous...

La première fois que j'ai donné à boire à Caramel, ça a été toute une aventure! J'ai versé du lait dans un bol et elle a foncé, zioum! Elle s'est mis les pattes dedans, la gougoune!

Ensuite, elle a plongé la tête dans le bol! Catastrophe! Au lieu de boire, elle a reniflé le lait, alors elle s'est étouffée. Elle a éternué.

Sa gueule était toute blanche et ses moustaches ressemblaient à des glaçons. On aurait dit qu'elle avait joué dans la neige. Même si on était en été.

Je lui ai donc donné à boire dans un biberon. J'ai bercé Caramel en lui chantant des berceuses. J'aimais ça. Elle aussi, je crois, car elle me regardait de ses grands yeux de toutou amoureux.

Mais j'ai moins apprécié quand elle a fait pipi sur moi.

– Hé! Ça ne va pas, la tête!

Là, j'ai voulu que mes parents achètent des couches. Mais...

– Pas question! Ce n'est pas un bébé, c'est un chien.

– C'est un bébé chien.

– Les bébés chiens ne portent pas de couche. Et Caramel doit apprendre à devenir propre.

C'est plus facile à dire qu'à faire. Ce n'est pas évident de devenir propre. J'en sais quelque chose. Parfois, moi aussi, il m'arrive de... En tout cas, je me comprends.

On a posé des journaux par terre.

Caramel a appris à faire pipi sur les nouvelles, les mots croisés, l'horoscope et le cahier des sports.

Parfois, elle chiffonnait le journal, le déchiquetait, le mâchait. On retrouvait des bouts de papier aux quatre coins de la maison. C'est une façon de parler parce qu'il y a plus de quatre coins dans ma maison.

Puis elle s'est mise à bouffer nos vêtements et *mes* jouets !
Elle a mangé une chaussette, trois pantoufles et une bande dessinée.
Ensuite, elle a sculpté au moins dix-huit blocs legos ! Ça ressemblait plus à
de vieilles gommes mâchouillées qu'à des legos !

J'étais découragé. Il fallait toujours que je ramasse mes affaires. C'était
fatigant. Mon père et ma mère me chicanaient sans arrêt.

– Si tu rangeais tes jouets, Caramel ne les grugerait pas.

– Ferme la porte de ta chambre, elle ne pourra pas entrer.

– Si vous m'aviez donné un vrai bébé, aussi !

Ah ! Elle me tombait sur les nerfs, la Caramel. Parfois, je vous jure que
je l'aurais échangée contre la planche à roulettes de Boris. Quatre pattes
contre quatre roues ! Ça m'aurait paru un bon marché.

Mais plus maintenant. Caramel est devenue mon amie de poils. Et même
le plus beau jouet de Boris ne vaudra jamais ma Caramel. Abracadabrel !

Chez nous, on est une petite famille : un père, une mère, un enfant (moi)
et un chien. Une chienne, plutôt. Elle s'appelle Caramel. Mais ça, vous le
savez déjà.

Moi, je m'appelle Nazaire. Et je n'ai
même pas un pauvre petit frère ou
une pauvre petite sœur qui m'adore.
Oh ! j'ai bien failli avoir un bébé une
fois (pas moi, je veux dire ma mère),
mais… ça n'a pas marché.

J'allais à la garderie dans ce temps-
là. J'étais petit. Pas comme un bébé,
mais petit quand même. En tout cas,
je n'étais pas assez grand pour aller à
l'école.

Je me rappelle, un jour, ma mère
était venue me chercher. Elle avait
une grande nouvelle à m'annoncer :
il y avait un bébé qui poussait dans
son ventre. J'étais content. J'avais
hâte de voir le bébé, de jouer avec
lui. Et tout, et tout.

Ce soir-là, on a fait une fête, papa,
maman et moi, en pensant au bébé
qui arriverait plus tard. Chaque jour,
je surveillais le ventre de ma mère.
Je trouvais qu'il ne poussait pas vite.

– C'est sûr, le bébé dans mon ventre est gros comme une tête d'épingle, a dit ma mère.

Une tête d'épingle! Avez-vous déjà imaginé un bébé qui ressemble à une tête d'épingle?

Si au moins c'était une tête d'épingle à linge, on pourrait toujours l'appeler Tom Pouce. Mais non: une tête d'épingle qui pique. Je vous dis que ce n'est pas gros! Et moi, je n'ai pas le droit de jouer avec les épingles. Alors, j'étais inquiet.

Et le temps passait, passait. Maman a dit que le bébé avait la taille d'un grain de riz. Puis, un peu plus tard, qu'il était gros comme un pois. Ça m'a fait drôle de penser que j'avais un frère ou une sœur qui ressemblait à un petit pois.

Je partais dans la lune en emportant une boîte de pois verts et un ouvre-boîtes.

Je semais des petits pois dans l'espace. Les bébés petits pois roulaient jusqu'à l'étoile la plus proche. Et ils s'endormaient dans leur berceau lumineux en attendant qu'un astronaute les ramène sur la terre.

Puis, un jour, mon père est venu me chercher à la garderie. Il y avait de la tristesse dans ses yeux.

Il a dit qu'on allait rejoindre maman à l'hôpital.

Ma mère était couchée dans un lit blanc en fer. Elle pleurait.

Source: Jasmine Dubé, *Fais un voeu, Nazaire!* (ill.: Sylvie Daigle), p. 7-22.
© Les éditions de la courte échelle inc. (coll. Premier Roman), 1994.

 1. En équipe, participez à une discussion en utilisant les questions formulées sur la feuille qu'on vous remettra.

2. À partir de ce que vous avez noté au cours de votre discussion, préparez une présentation d'environ deux minutes de votre extrait.

 3. Individuellement, confectionnez un signet pour garder un souvenir de votre extrait préféré. Suivez la marche à suivre qu'on vous donne à la page suivante.

Utilisez ensuite ce signet dans votre carnet de lecture.

Bricolage

Mon signet

Tu dois abandonner momentanément ta lecture. Tu ne veux pas laisser ton livre ouvert retourné sur ton lit (car tu sais que ça brise la couverture...). Alors, quoi faire? Fabrique-toi un signet!

Matériel

bandes de carton
(5 cm sur 20 cm)

bandes de plastique autocollant
(6 cm sur 21 cm)

Marche à suivre

1. Pense d'abord à l'extrait que tu as choisi.

2. Trouve dans ta tête une image qui le représente bien.

3. Sur un carton, fais un brouillon de ton signet. Tu dois y indiquer le nom de l'auteur ou de l'auteure, le titre du livre et y faire un croquis de ton illustration. Au verso, tu pourrais écrire une belle phrase du livre.

4. Reproduis ton brouillon sur le second carton. Ajoute des couleurs.

5. Une fois le travail terminé, colle une bande de plastique de chaque côté.

Bonne lecture!

Pense à échanger ton signet avec tes camarades. Tu pourras ainsi comparer tes idées à celles des autres.

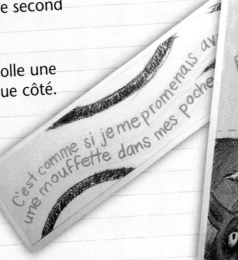

Sophie Côté
La terreur du quartier

C'est comme si je me promenais avec une mouffette dans mes poche

Mes mots

août	au lac	calme	baigner
la baignade	ton odeur	capable	conduire
une baignoire	son parapluie	neuf	couper
le bain	leur récolte	neuve	courir
cette balle	cette rivière	profond	échapper
ma barque	ce rocher	profonde	glisser
un bouquet	la rosée	vif	revenir
cette chaleur	votre tente	vive	sortir
l'été	nos vacances		tenir
du foin	mon vélo		tirer
notre fontaine	la verdure		venir
juillet	au verger		vider
juin	ton voyage		voyager

1. a) Sur la feuille qu'on te remettra, ajoute les classes de mots aux endroits appropriés du tableau *Mes mots*.

b) Explique tes choix.

Mes verbes conjugués

VOIR				VENIR		
INDICATIF PRÉSENT				**INDICATIF PRÉSENT**		
Personne	Radical	Terminaison		Personne	Radical	Terminaison
je	voi	s		je	vien	s
tu	voi	s		tu	vien	s
il/elle	voi	t		il/elle	vien	t
nous	voy	ons		nous	ven	ons
vous	voy	ez		vous	ven	ez
ils/elles	voi	ent		ils/elles	vienn	ent

136

2. a) Sur la feuille qu'on t'a remise, complète le tableau suivant. Tu dois écrire, dans tes mots, la règle qui permet de former le féminin des adjectifs donnés.

Masculin	Règle	Féminin
étroit profond		étroite profonde
calme capable		calme capable
neuf vif	On forme le féminin des adjectifs qui se terminent par *-f* au masculin en remplaçant *-f* par *-ve*.	neuve vive

b) Ajoute quelques adjectifs près de chacune des règles du tableau précédent. Consulte le dictionnaire à la fin de ton manuel (pages 151 à 154).

3. Classe les mots suivants selon les difficultés qu'ils pourraient présenter à l'écrit. Attention! Un même mot peut se retrouver dans plus d'une colonne.

août	conduire	parapluie	tente
baignade	échapper	récolte	vacances
baignoire	fontaine	rivière	verdure
balle	glisser	rocher	verger
barque	juillet	rosée	voyage
bouquet			

Lettre finale	Double consonne	Accent	Autre

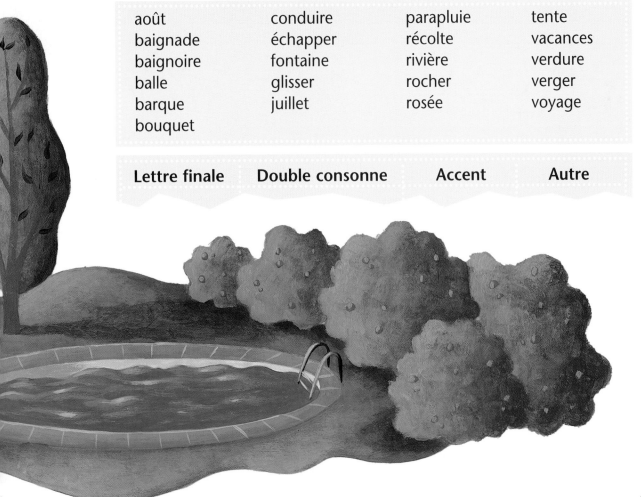

4. Trouve tous les noms du tableau *Mes mots* (p. 136) qui sont au masculin. Ajoute un adjectif à chacun.

5. a) Conjugue les verbes *aimer, finir, voir* et *venir* à l'indicatif présent. Sur ta feuille, sépare le radical et la terminaison du verbe. Au besoin, consulte les tableaux *Mes verbes conjugués* à la fin de ton manuel (pages 148 à 150).

Aimer		Finir		Voir		Venir
j'	aim **e**	je	fini **s**	je	voi **s**	je
tu	aim **es**	tu		tu		
il/elle						

b) Dresse un tableau des différentes terminaisons obtenues pour chacune des personnes.

6. Compose une phrase qui contient chacun des verbes suivants à l'indicatif présent:

a) échapper;

b) voir;

c) vider;

d) venir.

7. Pour chacun des mots suivants, trouve un mot de la même famille. Consulte ton tableau *Mes mots* et un dictionnaire pour t'aider.

a) baigner;

b) glisser;

c) voyager;

d) barque.

8. Compose une courte histoire en utilisant les quatre mots trouvés au numéro 7. Corrige ensuite ton texte: fais les accords dans les groupes du nom et accorde chaque verbe avec son sujet.

Dans le manuel A, tu as fait la connaissance de Marie-Soleil Lamontagne-Lafleur, une petite fille qui n'aimait pas son nom. Voici maintenant l'histoire d'une autre petite fille qui déteste son prénom.

Depuis quelque temps, cette petite fille passe beaucoup de temps à l'hôpital, au chevet de son grand-père qui est malade. Qu'arrivera-t-il au grand-papa de cette petite fille? Pourquoi le titre de ce roman est-il *Le plus beau prénom du monde*? Lis l'extrait suivant et essaie de trouver les réponses à ces questions.

Le plus beau prénom du monde

Grand-papa a de l'air dans ses boucles grises. Un vent est passé dans ses cheveux, un coup de trompette des anges. Le temps a soufflé dans sa tête aussi. Il ne sait plus qui je suis.

Il roule de grands yeux lents vers moi. Parfois il pense que je suis sa sœur, parfois sa fille, mais rarement celle que je suis devant lui. Ou derrière, si je coiffe ses cheveux vides.

Une brise entre ses lèvres pâles. Les mots font des bulles autour de nous. Il les regarde flotter lentement, leur sourit avant d'en créer d'autres. C'est comme cela, je crois, qu'il parle à la mort.

J'achève le livre de Marielle. Je commence à comprendre pourquoi Mario [le personnage principal du livre] brisait toujours tout et que maintenant il ne brise plus rien. J'aime Mario. Je n'ai plus envie de m'en séparer. Il le faudra, à moins que je ne termine jamais l'histoire...

La vie de mon grand-père ressemble à un livre. Et quand le livre sera fini, je n'aurai plus de grand-père...

Les larmes aux yeux, je ferme le livre de Marielle. Pourtant, il y a encore Mario qui continue de vivre dans ma tête.

Quand grand-papa va mourir, quand le livre de sa vie va se refermer, il continuera aussi à vivre au fond de moi.

– Tu seras toujours avec moi, grand-papa.

Il ne réagit pas. Maman s'approche :

– Bien sûr. Il restera présent dans ton cœur.

– Et dans le tien ?

– On peut continuer à vivre dans le cœur de tous ceux qu'on aime.

L'infirmière entre. Elle prépare sa seringue, distraitement, un peu dans la lune. Comme moi quand je fais un exercice en éducation physique. Grand-papa marmonne quelque chose et elle lui sourit.

Tout à l'heure, il m'a demandé si je jouais encore à l'église, alors que je lui parlais de mon cours de musique. Il me prenait pour sa fille, puisque c'est ma tante qui joue de l'orgue à l'église. Pas moi.

– Venez, suggère papa. On devrait le laisser.

Dans la rue, il y a du bruit. De la vie, comme si grand-papa n'allait pas mourir. [...]

Chapitre
7

Aujourd'hui, toute la famille est venue à l'hôpital. Même mon cousin. Il sort prendre l'air toutes les cinq minutes. Je ne suis pas à l'école. C'est dommage pour mon cours de musique, mais pas pour celui d'éducation physique !

Grand-papa respire très très fort. Dans mon livre, c'est la tempête sur la mer. Bientôt, l'histoire sera finie... Mario est seul sur la plage. Le vent le soulève de terre et lui souffle un secret.

La respiration de grand-papa remplit la chambre. On dirait que la tempête est ici.

– Viens, décide maman. Tu finiras ton livre une autre fois.

– Justement, je le terminais.

Il ne me reste plus que quelques pages, mais je préfère imaginer le secret du vent plutôt que de le lire.

Maman m'entraîne près du lit. Le visage de grand-papa paraît aussi pâle que ses draps. Ses yeux sont entrouverts, mais il ne regarde rien. Peut-être qu'il voit des choses imaginaires, comme mon insecte vert et visqueux... ou des anges avec des trompettes... ou Mario dans le vent.

– Grand-papa...

Je glisse ma main dans la sienne, délicatement.

– Laisse, fait maman en me pressant le bras.

Grand-papa ne serre pas ma main. Même pas un petit serrement. Mais ses paupières clignent un peu. On dirait un dur effort. Et il souffle, autant que le vent dans l'histoire de Mario.

J'entends quelque chose, une musique qui vient d'entre ses lèvres. Est-ce un secret qu'il prononce si doucement, si doucement, comme une mélodie pleine de tendresse?

Grand-papa a soufflé mon prénom, mon prénom à moi. C'est bien ce que j'ai entendu. Et pourtant, c'était un enchaînement de sons harmonieux que je n'avais jamais remarqué auparavant.

Je lève la tête. Les yeux de maman sont mouillés. Savait-elle que j'avais un aussi joli prénom? Est-ce pour cette raison qu'elle et papa l'ont choisi?

Dans l'entrebâillement de la porte, le visage blême de mon cousin Antoine. S'étonne-t-il que mon prénom soit aussi beau que le sien? Il ne s'évanouit pas.

Ils ont tous l'air bizarre, dans la chambre. Ma tante se réfugie dans les bras de mon oncle. Papa passe son bras autour de mon épaule.

Je crois que ça y est, grand-papa est mort. Doucement, tout doucement, en prononçant mon prénom.

Source: Sylvie Massicotte, *Le plus beau prénom du monde* (ill.: Lucie Faniel), p. 41-51.
© Les éditions de la courte échelle inc. (coll. Premier Roman), 1999.

1. Prends quelques minutes pour répondre aux questions suivantes. Tu pourras par la suite échanger en grand groupe avec tes camarades de classe.

   a) Selon toi, pourquoi l'auteure a-t-elle choisi le titre *Le plus beau prénom du monde* pour cette histoire?

   b) Quelles émotions as-tu ressenties en lisant cette histoire? Pourquoi?

   c) As-tu déjà vécu une situation semblable ou connais-tu quelqu'un qui a déjà vécu une situation semblable? Explique ta réponse.

   d) Cette histoire te fait-elle penser à d'autres histoires que tu as lues, à un film ou une pièce de théâtre que tu as vus? Explique ta réponse.

2. Choisis une partie de l'histoire que tu as particulièrement aimée et explique ton choix. Fais des liens avec ta vie. Illustre ton texte si tu le désires.

Dans cette unité, tu as peut-être découvert des auteurs ou auteures. Maintenant, tu connais leur nom et tu as lu au moins un extrait d'un roman qu'ils ont écrit. Dans l'activité qui suit, tu vas les découvrir davantage.

Placez-vous en équipe de deux pour faire ce travail. Vous devrez mettre à l'épreuve vos talents de détectives en associant chaque illustration (p. 144) à la fiche correspondante. Utilisez les feuilles qu'on vous remettra.

Auteurs et auteures de romans, qui êtes-vous ?

Jasmine Dubé est née en 1957 en Gaspésie. Elle a les cheveux foncés et porte des lunettes. Elle a étudié à l'École nationale de théâtre de Montréal. Elle a écrit quelques pièces de théâtre puis a décidé d'écrire des romans pour la jeunesse.

Gilles Gauthier est né en 1943. Il a les cheveux foncés et bouclés. En plus d'être écrivain, il a été responsable d'une émission pour enfants intitulée *L'Aventure de l'écriture*. Les romans de Gilles Gauthier sont traduits en plusieurs langues : en anglais, en espagnol, en grec et en chinois ! Il en a même écrit un qui sent la mouffette !

Sylvie Massicotte est née en 1959. Elle a les cheveux châtains mi-longs et porte des lunettes. Elle étudie, elle voyage beaucoup (elle est allée en Europe et en Afrique) et elle écrit. Elle publie des nouvelles, des romans pour les adultes et les enfants. Savais-tu qu'elle écrivait aussi des textes de chansons ?

4

Gilles Tibo est né en 1951. Il a les cheveux bruns et porte des lunettes. C'est à l'âge de 15 ans, à l'école, qu'il découvre qu'il a du talent en dessin en composant une bande dessinée qu'il distribue (en secret?) à ses camarades de classe. Plus tard, à l'âge adulte, il dessine pour de nombreux auteurs. Puis, il décide d'écrire lui-même ses propres histoires. Il se décrit comme étant un grand timide. C'est pourquoi il a écrit l'histoire d'un petit garçon qui lui ressemble.

5

Danielle Simard est née en 1952 à Montréal. Elle a les cheveux châtain foncé, un peu bouclés. Elle a étudié pour devenir graphiste. Mais son grand rêve, c'était d'écrire des livres pour les enfants. Quand elle était petite, elle croyait qu'elle était une très bonne nageuse. Un jour, son père a décidé de la prendre en photo. Comme c'était assez drôle, elle a décidé d'écrire l'histoire d'un petit garçon qui suit des cours de natation.

6

Dominique Giroux a de longs cheveux bouclés. Elle a un petit nez rond et aime porter des boucles d'oreilles. Elle a longtemps travaillé auprès de personnes handicapées. C'est en travaillant auprès de ces personnes qu'elle a puisé son inspiration pour un de ses romans. Elle fait aussi beaucoup d'animation dans les salons du livre et dans les écoles. C'est une auteure dynamique et attachante.

Maintenant que vous avez pu associer chaque description à l'illustration correspondante, continuez votre travail de détective. Sur la feuille qu'on vous remettra, répondez aux questions *Qui suis-je ?* pour identifier des personnages.

À vos plumes

Souvenirs de lecture

Cette année, tu as exploré plusieurs genres de livres : des albums, des documentaires, des contes, des recueils de poèmes, des magazines et des romans. Tu as lu des histoires drôles, tristes, émouvantes, surprenantes, etc. Certaines de ces histoires t'ont plu ; d'autres, moins. L'activité qui suit va te permettre de faire le bilan de tes préférences et d'aider un ou une autre élève à faire son propre bilan. Pour ce faire, en équipe de deux, vous participerez à une entrevue. Chacun à votre tour, vous serez journaliste. Bonne entrevue !

Je planifie

Cette étape comprend deux parties :

A. Retour sur les textes présentés dans le manuel
Sur la feuille qu'on te remettra, remplis un tableau pour comparer différents genres de livres. Parmi ces genres, lesquels préfères-tu ? Puis, feuillette tes manuels A et B. Quels sont les textes que tu as le plus aimés ? Note quelques titres sur ta feuille. À partir de cette liste, fais une sélection des trois meilleurs titres.

B. Préparation des questions
Imagine-toi journaliste. Quelles questions pourrais-tu poser à ton camarade pour l'aider à te parler de ses lectures préférées ? Tu peux t'inspirer de tes choix et réfléchir aux questions que tu aimerais te faire poser. Trouve cinq questions et écris-les. Place-toi ensuite avec un ou une autre élève pour poursuivre le travail.

Je rédige

Commencez par comparer vos dix questions. Désirez-vous faire des modifications ou ajouter des précisions ? Puis, prenez quelques minutes pour décider qui jouera le rôle de journaliste en premier. Ensuite, à tour de rôle, posez vos cinq questions en prenant le temps de bien noter chacune des réponses sur votre feuille.

Je révise et je corrige

À la fin des deux entrevues, faites la correction et la révision des questions et des réponses. Est-ce que chaque question est bien formulée ? Avez-vous noté clairement toutes les idées de votre camarade ? Avez-vous utilisé la bonne ponctuation ? Vérifiez l'orthographe des mots, les accords dans les groupes du nom, les accords du verbe avec son sujet.

Je mets au propre

Individuellement, mettez votre texte au propre. Donnez un titre à votre entrevue. Consultez des magazines et observez comment sont présentées les entrevues. Inspirez-vous de ces présentations. Utilisez votre plus belle écriture. Vous devrez remettre cette entrevue à votre camarade pour qu'il ou elle puisse la conserver dans son portfolio.

Je présente

Affichez chaque questionnaire ou préparez une émission de télévision dans laquelle vous viendrez présenter vos coups de cœur.

Je m'évalue

Remplissez la grille d'autoévaluation qu'on vous remettra.

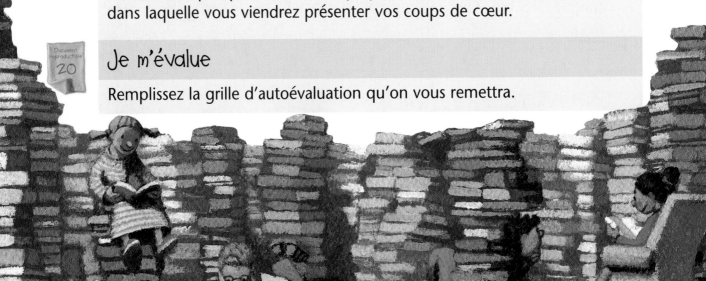

Des coups de cœur

Fais connaître ton roman préféré à tes camarades de classe. Prépare un diaporama sur une scène du livre, sur ses meilleurs moments ou sur tout autre élément du livre que tu aimerais diffuser. Pense au contenu de ta présentation, mais aussi à sa forme. Comment t'y prendras-tu pour capter l'attention de tes auditeurs et de tes auditrices?

Un schéma d'idées

Voici une activité de coopération qui te permettra de dégager des idées d'un texte lu, de les regrouper, de faire des liens. Il s'agit de résumer de façon visuelle tes apprentissages sur les sentiments. Fais preuve d'imagination. Utilise les mots, les images, la couleur pour enrichir ton schéma. Écoute les autres, tiens compte de leurs idées, discute...

Fabrique un signet

Utilise l'ordinateur pour créer un signet original à partir d'un livre lu. D'un côté, inscris une phrase que tu auras composée et qui traduit bien ce que tu as ressenti à la suite de ta lecture. De l'autre côté, utilise des caractères de fantaisie pour indiquer le nom de l'auteur ou de l'auteure et le titre du livre. Si tu le désires, ajoute une illustration.

Mes verbes conjugués

AIMER

	TEMPS SIMPLES					TEMPS COMPOSÉ		

INDICATIF PRÉSENT

Personne	Radical	Terminaison
j'	aim	e
tu	aim	es
il/elle	aim	e
nous	aim	ons
vous	aim	ez
ils/elles	aim	ent

IMPARFAIT

Personne	Radical	Terminaison
j'	aim	ais
tu	aim	ais
il/elle	aim	ait
nous	aim	ions
vous	aim	iez
ils/elles	aim	aient

PASSÉ COMPOSÉ

Personne	Auxiliaire	Part. passé
j'	ai	aimé
tu	as	aimé
il/elle	a	aimé
nous	avons	aimé
vous	avez	aimé
ils/elles	ont	aimé

FUTUR SIMPLE

Personne	Radical	Terminaison
j'	aim	erai
tu	aim	eras
il/elle	aim	era
nous	aim	erons
vous	aim	erez
ils/elles	aim	eront

CONDITIONNEL PRÉSENT

Personne	Radical	Terminaison
j'	aim	erais
tu	aim	erais
il/elle	aim	erait
nous	aim	erions
vous	aim	eriez
ils/elles	aim	eraient

AVOIR

	TEMPS SIMPLES					TEMPS COMPOSÉ		

INDICATIF PRÉSENT

Personne	Radical	Terminaison
j'	ai	
tu	a	s
il/elle	a	
nous	av	ons
vous	av	ez
ils/elles	on	t

IMPARFAIT

Personne	Radical	Terminaison
j'	av	ais
tu	av	ais
il/elle	av	ait
nous	av	ions
vous	av	iez
ils/elles	av	aient

PASSÉ COMPOSÉ

Personne	Auxiliaire	Part. passé
j'	ai	eu
tu	as	eu
il/elle	a	eu
nous	avons	eu
vous	avez	eu
ils/elles	ont	eu

FUTUR SIMPLE

Personne	Radical	Terminaison
j'	au	rai
tu	au	ras
il/elle	au	ra
nous	au	rons
vous	au	rez
ils/elles	au	ront

CONDITIONNEL PRÉSENT

Personne	Radical	Terminaison
j'	au	rais
tu	au	rais
il/elle	au	rait
nous	au	rions
vous	au	riez
ils/elles	au	raient

ÊTRE

	TEMPS SIMPLES					TEMPS COMPOSÉ		

INDICATIF PRÉSENT

Personne	Radical	Terminaison
je	sui	s
tu	es	
il/elle	es	t
nous	somm	es
vous	êt	es
ils/elles	son	t

IMPARFAIT

Personne	Radical	Terminaison
j'	ét	ais
tu	ét	ais
il/elle	ét	ait
nous	ét	ions
vous	ét	iez
ils/elles	ét	aient

PASSÉ COMPOSÉ

Personne	Auxiliaire	Part. passé
j'	ai	été
tu	as	été
il/elle	a	été
nous	avons	été
vous	avez	été
ils/elles	ont	été

FUTUR SIMPLE

Personne	Radical	Terminaison
je	se	rai
tu	se	ras
il/elle	se	ra
nous	se	rons
vous	se	rez
ils/elles	se	ront

CONDITIONNEL PRÉSENT

Personne	Radical	Terminaison
je	se	rais
tu	se	rais
il/elle	se	rait
nous	se	rions
vous	se	riez
ils/elles	se	raient

FINIR

	TEMPS SIMPLES					TEMPS COMPOSÉ		

INDICATIF PRÉSENT

Personne	Radical	Terminaison
je	fini	s
tu	fini	s
il/elle	fini	t
nous	finiss	ons
vous	finiss	ez
ils/elles	finiss	ent

IMPARFAIT

Personne	Radical	Terminaison
je	finiss	ais
tu	finiss	ais
il/elle	finiss	ait
nous	finiss	ions
vous	finiss	iez
ils/elles	finiss	aient

PASSÉ COMPOSÉ

Personne	Auxiliaire	Part. passé
j'	ai	fini
tu	as	fini
il/elle	a	fini
nous	avons	fini
vous	avez	fini
ils/elles	ont	fini

FUTUR SIMPLE

Personne	Radical	Terminaison
je	fini	rai
tu	fini	ras
il/elle	fini	ra
nous	fini	rons
vous	fini	rez
ils/elles	fini	ront

CONDITIONNEL PRÉSENT

Personne	Radical	Terminaison
je	fini	rais
tu	fini	rais
il/elle	fini	rait
nous	fini	rions
vous	fini	riez
ils/elles	fini	raient

ALLER

INDICATIF PRÉSENT

Personne	Radical	Terminaison
je	vai	s
tu	va	s
il/elle	va	
nous	all	ons
vous	all	ez
ils/elles	von	t

DIRE

INDICATIF PRÉSENT

Personne	Radical	Terminaison
je	di	s
tu	di	s
il/elle	di	t
nous	dis	ons
vous	dit	es
ils/elles	dis	ent

FAIRE

INDICATIF PRÉSENT

Personne	Radical	Terminaison
je	fai	s
tu	fai	s
il/elle	fai	t
nous	fais	ons
vous	fait	es
ils/elles	fon	t

SAVOIR

INDICATIF PRÉSENT

Personne	Radical	Terminaison
je	sai	s
tu	sai	s
il/elle	sai	t
nous	sav	ons
vous	sav	ez
ils/elles	sav	ent

VENIR

INDICATIF PRÉSENT

Personne	Radical	Terminaison
je	vien	s
tu	vien	s
il/elle	vien	t
nous	ven	ons
vous	ven	ez
ils/elles	vienn	ent

VOIR

INDICATIF PRÉSENT

Personne	Radical	Terminaison
je	voi	s
tu	voi	s
il/elle	voi	t
nous	voy	ons
vous	voy	ez
ils/elles	voi	ent

Mes mots

A

à
accident
acheter
à côté
adroit
   adroite
à droite
à gauche
agréable
agréablement
aider
aile
aimable
aimer
air
aller
alors
ami
   amie
amical
   amicale
amicalement
amitié
amour
amusant
   amusante
an
animal
   animale
année
août
apporter
approcher
après
arbre
arracher
arrêter
assez
au milieu
aussi
automne
autour
autrefois
autrement
avant

B

avant-midi
avec
avertir
avertissement
aveugle
aviateur
   aviatrice
avion
avoir
avril

baignade
baigner
baignoire
bain
balle
banane
barque
bas
   basse
batailleur
   batailleuse
beau
   bel
   belle
beaucoup
beauté
bien
bientôt
bleu
   bleue
bleuet
bois
bon
   bonne
bonbon
bonheur
bonjour
bonsoir
bord
bouche
boulanger
   boulangère
boulangerie
bouquet

C

bout
branche
bras
bravo
bruit
brusque
brusquement
bureau

cacher
cadeau
café
calculer
calme
campagne
capable
car
carotte
centimètre
chaleur
chambre
champ
chant
chanter
chanteur
   chanteuse
chapeau
charitable
charité
chasse
chasser
chasseur
   chasseuse
chat
   chatte
château
chaud
   chaude
chemin
cher
   chère
chercher
cheval
chevalier

cheveu
   cheveux
chez
chien
   chienne
chocolat
cinq
cinquante
cirque
classe
cœur
coin
combien
comme
commencer
comment
commun
   commune
compagnie
compagnon
   compagne
comparer
conduire
congé
connaître
content
   contente
continuer
contre
coq
côté
cou
coucher
couper
cour
courir
court
   courte
cousin
   cousine
crier
cuisine
cuisiner
cuisinier
   cuisinière

D

dans
date
décembre
décimètre
déçu
déçue
défaire
défait
défaite
déjà
déjeuner
délicat
délicate
demain
demander
dent
dentiste
dépenser
déplacer
déposer
depuis
dernier
dernière
désagréable
dessin
dessinateur
dessinatrice
dessiner
dessous
dessus
deux
deuxième
deuxièmement
devant
dîner
dire
direct
directe
directement
dix
dollar
donc
dos
douleur
douloureux
douloureuse
doute
douter

doux
douce
douze
droit
droite

E

eau
échapper
écouter
écrire
église
elle
elles
emporter
en
en arrière
en avant
en bas
en haut
encore
enfant
enfin
ensoleillé
ensoleillée
ensuite
enterrer
entier
entière
entre
entrer
épais
épaisse
équipe
espérer
et
été
étoile
étranger
étrangère
être
étroit
étroite
étudier

F

faire
famille
fatigue
fatigué
fatiguée

féminin
féminine
femme
ferme
fermier
fermière
feuille
février
fidèle
figure
fille
fin
finalement
finir
fleur
foin
fois
folie
fontaine
forêt
formidable
fort
forte
fou
fol
folle
fournir
fraise
franc
franche
franchement
frapper
froid
froide
fruit

G

gagner
garçon
garder
gare
gens
gentil
gentille
glace
glisser
grand
grande
grandir

gras
grasse
grave
grenouille
gris
grise
gros
grosse
grossir

H

habiter
haut
haute
herbe
heure
heureux
heureuse
hier
histoire
hiver
homme
huit

I

ici
idée
il
ils
il y a
il y avait
industrie
invisible

J

jamais
jambe
janvier
jardin
jardinage
jardinier
jardinière
jaune
je
jeu
jeune
jeunesse
joie
jouer
jouet
joueur
joueuse

jour
journée
joyeux
   joyeuse
juillet
juin
jument
jusqu'à
jusque
juste
justement
justice

K

kilomètre

L

là
lac
laid
  laide
lait
lapin
  lapine
large
laver
leçon
lecture
légume
lendemain
lentement
lettre
lieu
lièvre
ligne
lire
lit
livre
loin
lumière

M

madame
   Mᵐᵉ
magasin
magicien
   magicienne
magie
magique
mai
main
maintenant

mais
maison
maître
   maîtresse
mal
malade
malheureux
   malheureuse
manquer
marche
marché
marcher
marquer
mars
matin
mauvais
   mauvaise
mauve
méchant
   méchante
mer
merci
merle
métier
mètre
métro
midi
milieu
ministre
minute
moi
moineau
mois
moment
monsieur
   M.
montagne
montagneux
   montagneuse
monter
montrer
moqueur
   moqueuse
mouche
moyen

N

nature
naturel
   naturelle

naturellement
ne... pas
neige
neuf
   neuve
nez
nid
noble
Noël
noir
   noire
nombreux
   nombreuse
normal
   normale
nous
nouveau
   nouvel
   nouvelle
novembre
nuage
nuageux
   nuageuse
nuisible
numéro

O

occuper
octobre
odeur
œil
   yeux
œuf
oiseau
onze
orage
orange
oreille
oreiller
oublier
ouvert
   ouverte

P

page
pain
papier
par
parapluie
parce que
pardonner

parfait
   parfaite
parfaitement
parfois
parler
part
partie
partir
partout
pas
passer
patate
patron
   patronne
pauvre
pays
pêche
peine
pendant
personne
petit
   petite
peu
pièce
pied
place
placer
plaisir
pleurer
pluie
plus
poisson
police
policier
   policière
pomme
pont
port
porter
poser
poste
poster
pour
pourquoi
pousser
poussin
préféré
   préférée

premier
   première
préparer
près
présenter
presque
prince
   princesse
printemps
problème
profond
   profonde
promener
propre
puis

Q quand
quarante
quatorze
quatre
qu'est-ce que
quinze

R raconter
rare
rarement
recevoir
récolte
recommencer
reçu
   reçue
redoutable
refaire
reine
   roi
remarquer
rencontre
rencontrer
rentrer
repartir
repas
repasser
reposer
reproche
rester
retour
retourner
retrouver
réunion

revenir
riche
rire
rivière
roche
rocher
roman
rond
   ronde
rose
rosée
rouge
rouler
route
rue

S sage
sagement
saison
salle
sans
sapin
sauter
sauvage
savoir
seconde
seize
semaine
semblable
sembler
sentir
sept
septembre
se souvenir
seul
   seule
seulement
si
six
soir
soirée
soixante
soleil
sombre
sortir
souper
souris
sous
souvenir

sportif
   sportive
sucre
suivre
superbe
sur
surtout

T tard
temps
tenir
tente
tenter
terre
terrestre
tête
timide
tirer
toi
toit
tomber
tortue
toucher
toujours
tourner
tranquille
traverser
treize
trente
très
triste
trois
troisième
troisièmement
trop
trouver
tu
tuer

U un
utile

V vacances
vaste
vélo
venir
vent
venteux
   venteuse

verdure
verger
vers
vert
   verte
vide
vider
vieux
   vieil
   vieille
vif
   vive
village
ville
vingt
visage
visible
visite
visiter
visiteur
   visiteuse
vite
vitrine
voici
voilà
voir
voisin
   voisine
voler
vous
voyage
voyager

Z zoo

Mes stratégies de lecture

AVANT ma lecture

► Je me demande pourquoi je lis ce texte (pour m'informer, pour me divertir, pour me faire une opinion...).

► Je me demande quelle est ma tâche (répondre à des questions, réaliser un projet, faire une recherche...).

► Je survole le texte pour savoir quel genre de texte je vais lire (un récit, une recette, un poème...). Je regarde le titre, les intertitres, les illustrations.

► Je fais des prédictions sur le texte.

PENDANT ma lecture

► Je cherche le sens d'un mot:
  - je cherche des indices dans le mot;
  - je regarde autour du mot;
  - je cherche des mots de la même famille;
  - j'utilise les illustrations;
  - je consulte le dictionnaire.
Je vérifie si ce mot a du sens dans la phrase.

► Je cherche le sens des phrases:
  - j'utilise la ponctuation pour découper une phrase en petites unités de sens;
  - je lis par groupes de mots;
  - je fais des hypothèses sur le sens de la phrase en fonction de l'ensemble du texte.
Pour comprendre une phrase difficile, je relis la phrase précédente et la phrase qui suit ou je ralentis ma lecture.

▶ Je cherche le sens du texte :
  – je m'arrête pour résumer ce que je viens de lire et pour faire des hypothèses sur la suite du texte ;
  – j'observe les illustrations, les schémas, les tableaux ;
  – j'utilise certains indices pour reconnaître les liens entre les phrases (marqueurs de relation, pronoms, synonymes...).

▶ Je me rappelle régulièrement pourquoi je lis.

▶ J'essaie de reconnaître les renseignements et les passages qui me seront utiles.

APRÈS ma lecture

▶ Je réagis au texte.

▶ Je reviens sur mon intention de lecture (pourquoi j'ai lu ce texte) et je réalise la tâche demandée.

▶ J'explique ma démarche.

▶ J'évalue les stratégies que j'ai utilisées pour m'aider à comprendre le texte.

Index des notions grammaticales

Classes de mots	p. 136
Déterminants	p. 88, 119
Famille de mots	p. **62**, 89, 108, 138
Féminin des noms et des adjectifs	p. 10, 21, 43, 57, 137
Groupe du nom sujet	p. **67**
Homophones	p. 11, 89
Phrase	
déclarative	p. **15**
exclamative	p. **34**
interrogative	p. **15**
négative	p. **96**
Pluriel des noms et des adjectifs	p. 57, **58**, 76
Régularités orthographiques	
L'emploi de la lettre *c*	p. 89
L'emploi de la lettre *g*	p. **120**
Tableaux de conjugaison	p. 148 à 150
Verbes	
conditionnel présent	p. 43, 57
futur proche	p. **76**
futur simple	p. 10, 21
passé composé	p. 88, 108
Virgule dans les énumérations	p. **113**

Les nombres en **caractères gras** renvoient aux pages du manuel où l'on trouve la définition d'une notion (*Je comprends*).

Sources iconographiques

Illustrations et bricolages